A LIBERDADE POSSÍVEL

Dados Internacionais de Catalogação na Publicação (CIP)
(Câmara Brasileira do Livro, SP, Brasil)

Gikovate, Flávio, 1943-
A liberdade possível / Flávio Gikovate. - 5. ed. - São Paulo :
MG Editores, 2017.

ISBN 978-85-7255-044-4

1. Liberdade I. Título

05-9664 CDD-153.83

Índice para catálogo sistemático:

1. Liberdade : Aspectos psicológicos 153.83

A LIBERDADE POSSÍVEL

Flávio Gikovate

MG EDITORES

A LIBERDADE POSSÍVEL

Editora executiva: **Soraia Bini Cury**
Assistente de produção: **Claudia Agnelli**
Capa: **Alberto Mateus**
Projeto gráfico e diagramação: **Crayon Editorial**

MG Editores
Departamento editorial:
Rua Itapicuru, 613 – 7º andar
05006-000 – São Paulo – SP
Fone: (11) 3872-3322
Fax: (11) 3872-7476
http://www.mgeditores.com.br
e-mail: mg@mgeditores.com.br

Atendimento ao consumidor:
Summus Editorial
Fone: (11) 3865-9890

Vendas por atacado:
Fone: (11) 3873-8638
Fax: (11) 3872-7476
e-mail: vendas@summus.com.br

Impresso no Brasil

sumário

1 • CONSIDERAÇÕES INICIAIS *9*

A psicologia é essencial porque pode nos ajudar a administrar melhor nossa vida 9

É preciso cautela e rigor para conceituar liberdade 14

Temos de combater a tendência de nos deixar seduzir por belas idéias 21

O ser livre não é egoísta nem generoso 29

2 • A BIOLOGIA E A QUESTÃO DA LIBERDADE *35*

Somos todos diferentes 35

É pequena a nossa capacidade de perdoar os inimigos 45

Quando provocados, somos competitivos 52

O homem está sujeito a medos irracionais 59

3 • OS INSTINTOS E A QUESTÃO DA LIBERDADE *69*

Temos dois instintos — sexo e amor — que muitas vezes estão em oposição 69

O amor, vivido como necessidade, escraviza e se contrapõe à liberdade 79

O amor, vivido como desejo, é uma experiência rara e rica que em nada se opõe à liberdade 87

O amor também se manifesta sob a forma de uma tendência à integração em grupos 96

A separação entre sexo e reprodução deu início a uma revolução nos costumes milenares 104

A ausência de sensação de saciedade é um dos aspectos básicos da sexualidade feminina ... 114
O machismo é a mais evidente manifestação da inveja masculina em relação às mulheres ... 123
A manifestação maior da vaidade no ser livre consiste em exibir sua coerência ... 137

4 • A RAZÃO E A QUESTÃO DA LIBERDADE *148*
Nossa razão tem sido negligenciada pela psicologia contemporânea ... 148
O egoísta não supera as frustrações infantis, enquanto o generoso não ultrapassa as de caráter metafísico ... 160
Nascer, no sentido psicológico, é poder tolerar a dor do desamparo ... 172
A insignificância da condição humana é a maior ofensa a nossa vaidade ... 182
O medo da felicidade está na origem de nossa tendência destrutiva ... 196
Nosso princípio biológico básico é a busca do prazer ... 206
É arbitrária a conceituação do que são o bem e o mal ... 218

5 • O MEIO SOCIAL E A QUESTÃO DA LIBERDADE *229*
Precisamos avançar rapidamente na direção da liberdade para tentarmos evitar a hecatombe ... 229
Nossos conflitos íntimos, mais do que os fatores externos, nos impedem de ser livres ... 235
O meio social nos pressiona com mecanismos de punição e recompensa ... 245
O meio social nos enfraquece ao valorizar muito a sexualidade e minimizar a importância do amor e da amizade ... 256

O rebelde: uma proposta de comportamento alternativo 265
Comportamentos extravagantes: o meio social promete castigos sem condições de cumprir 275

6 • CONCLUSÕES *282*

Já que somos todos diferentes, o respeito se impõe 282
Nem tudo que é importante é útil e nem tudo que é útil é prazeroso 291
Pela via direta ou por rotas sutis, só buscamos o prazer 300
O medo da felicidade é o maior obstáculo ao real exercício da liberdade 306

A liberdade possível

1 um
CONSIDERAÇÕES INICIAIS

A PSICOLOGIA É ESSENCIAL PORQUE PODE NOS AJUDAR A ADMINISTRAR MELHOR NOSSA VIDA

A maior parte de meus trabalhos tem sido do tipo analítico, ou seja, tenho me esforçado em estudar detalhadamente cada um dos elementos que compõem nossa vida psíquica e, sobretudo, como eles se relacionam entre si. Tenho refletido muito sobre o amor, para mim um impulso autônomo, separado do sexo. Tenho feito considerações originais e, acredito, importantes para o melhor entendimento de nossa sexualidade. As mais relevantes dizem respeito à vaidade na natureza masculina e na feminina e às diferenças entre elas; daí derivam emoções muito fortes, especialmente a inveja entre homens e mulheres, um subproduto dessas diferenças que ambos registram como desfavoráveis.

Outra característica de meus textos é a valorização da razão, parte do psiquismo que é tão biológica quanto nossos instintos. É difícil defini-la: trata-se do produto daquela porção do cérebro que funciona quando estamos trocando informações, reflexões e memórias — entre outras múltiplas atividades. A razão é, a meu ver, fonte de prazeres autônomos e de problemas que lhe são peculiares.

Fui parar, por caminhos inesperados, nas questões de natureza moral. Demonstrei que o narcisismo, muito valorizado por alguns setores da cultura contemporânea, nada mais é do que a persistência, em adultos, de padrões de comportamento próprios de uma criança pequena. Mostrei que a generosidade, tão prestigiada pelo pensamento religioso, é uma forma sofisticada de prazer pessoal ligado à sensação de grandeza e superioridade que uma pessoa pode cultivar por ser mais capaz de renunciar do que aqueles que a cercam.

Como todos esses aspectos de nossa psicologia são essenciais para o estudo da liberdade, a eles voltaremos ao longo do livro. O adequado entendimento desses assuntos e a maneira de superar algumas das contradições que deles derivam constituem a base do que pretendo propor.

Sempre estive muito interessado em entender as emoções mais elementares, aquelas que pensamos conhecer tão bem a ponto de dispensar qualquer tipo de reflexão. Assim, tenho me empenhado em compreender melhor a inveja, o ciúme, a vaidade, a ambição e o sentimento de culpa. Faremos um grande avanço se pudermos defini-las de modo singelo e eficiente. Aliás, a clareza sempre foi uma de minhas maiores preocupações, uma vez que alimento profunda repulsa pelos textos rebuscados. Por vezes, considero-os arrogantes e agressivos, pois parece que foram feitos com o intuito de mostrar a superioridade do autor, grave manifestação de elitismo intelectual. Outras vezes, vejo-os como indício de uma mente confusa ou pouco rigorosa, sério impedimento para quem escreve com a finalidade de se comunicar. Não é raro uma pessoa fazer um esforço enorme para entender o que o autor pretende dizer, de modo que, no fim, poderá pensar que fez uma descoberta muito importante, mesmo que o conteúdo seja da maior banalidade. **Pessoalmente, gosto das deduções que aparecem como óbvias. Acredito que as observações que mais se aproximam da verdade têm sempre essa característica. Gosto dos espíritos sofisticados mas despojados da vaidade intelectual, desse prazer erótico por destacar-se pela via do saber. Já que somos todos vaidosos, prefiro os exercícios físicos e os cosméticos às citações bibliográficas desnecessárias e às frases quase indecifráveis.**

Não acho que toda atividade da razão tenha de, forçosamente, buscar objetivos definidos. Não podemos negar que fomos condicionados a pensar dessa forma utilitária e que temos dificuldade em compreender esforços mentais que não caminhem nessa direção. Poderíamos definir o trabalho como uma atividade que tem por fim atingir uma meta útil, por cujo esforço somos recompensados com prestígio e dinheiro. Entendemos como lazer aquelas práticas que apenas nos divertem e que, ao menos como regra, não exigem grande esforço intelectual. Aprendemos a pensar no trabalho como algo pouco prazeroso, sério, importante, útil, pesado, maçante e, por isso mesmo, gerador de merecida recompensa. Pensamos no lazer como algo inútil, apenas agradável, que só se justifica moralmente depois de termos gasto muitas horas em algum tipo de trabalho. Aprendemos, pois, a separar a vida ativa em duas partes: uma que é séria e difícil, relacionada com a busca de objetivos concretos e úteis, e outra lúdica, que deveria ser fonte de prazer. Estamos impregnados por essa dicotomia, de modo que a aceitamos sem refletir mais profundamente sobre ela. É importante revermos esses conceitos, pois eles podem não ser verdadeiros.

Ao pensar na psicologia, aí, sim, creio que a noção de utilidade é fundamental. Não consigo concebê-la apenas como uma ciência que busca dissecar e descrever todas as peculiaridades de nossa subjetividade com o intuito de tratar as pessoas mais sofridas. **O entendimento rigoroso dos componentes do complexo processo mental que nos caracteriza tem de estar a serviço de um propósito bem mais amplo, qual seja, encontrarmos novas e melhores formas de existir.** Se os avanços da atividade analítica — que têm sido o fruto maior da psicologia — puderem ser usados para uma composição mais coerente das peças de nosso intrincado quebra-cabeça mental, poderemos encontrar novos caminhos para o exercício de viver. Isso poderá nos aproximar do tão sonhado estado de felicidade!

Por esse ângulo, a psicologia, para mim, se situa na fronteira entre a filosofia e a medicina. Não estou desprezando a importância das práticas psicoterápicas como especialidade médica que visa aliviar a dor psíquica das pessoas — nem poderia fazê-lo, pois é a isso que dedico a maior parte de meu tempo. O que estou tentando sugerir é que essa atividade assistencial sistemática nos tem permitido extrair conceitos capazes de nos levar a fazer propostas concretas a respeito das questões mais substanciais e gerais relativas a nossa maneira de viver.

Assim, além dos vários textos de caráter mais analítico que tenho escrito, arrisco aqui um esforço na direção da síntese: buscar fazer uma proposta mais concreta para encontrarmos um modo mais gratificante de viver. O tema é a liberdade, um anseio que se tornou básico para mim desde a mocidade e que coincidiu com os movimentos emancipatórios que caracterizaram os anos posteriores a 1964. Ansiamos muito por liberdade, apesar da dificuldade que temos até de defini-la. **Não sabemos muito bem o que significa ser livre, mas pressentimos que tal estado seja muito atraente.**

A tarefa de síntese é sempre arriscada, pois se corre o risco de construir mais uma utopia. No entanto, é muito fácil comprometer todo o resultado buscado em razão do grande risco de se cometerem erros lógicos ao longo do processo dedutivo. Ainda assim, vale a pena o desafio! A ressalva de que se trata apenas de uma opinião e não da descoberta de alguma verdade absoluta é, pois, uma redundância necessária. **Se nunca fui capaz de enquadrar meus textos nas normas usuais da produção científica — nem mesmo quando assim o desejava —, agora me sinto mais à vontade do que nunca para escrever de modo livre e espontâneo; aliás, seria**

contradição grosseira escrever sobre a liberdade de outra forma.

É PRECISO CAUTELA E RIGOR PARA CONCEITUAR LIBERDADE

Nossa primeira e mais importante tarefa é definir em que consiste a liberdade. Depois, deveríamos detectar quais são os obstáculos, tanto subjetivos quanto objetivos, que podem estar nos impedindo de atingi-la. Além disso, teríamos de propor um caminho concreto para que pudéssemos nos aproximar efetivamente do estado de alma correspondente à condição de liberdade. A possibilidade de fazer tal proposta é especialmente importante, pois é para esse fim que se justifica todo o esforço de compreensão das dificuldades a serem superadas. Não podemos subestimar os obstáculos, porém jamais devemos considerá-los intransponíveis. Ainda que nós, como geração, não sejamos capazes de resolver determinadas contradições próprias de nossa condição, não estamos autorizados a ver tal limitação como definitiva.

Arthur Koestler, em seu livro *Jano*, faz algumas observações interessantíssimas sobre nossas peculiaridades biológicas, entendidas até recentemente como obstáculos intransponíveis. Mostra, de forma brilhante, que nem mesmo a biologia impõe um destino inexorável ao homem. Por possuirmos razão e criatividade, podemos ultrapassar até certos limites impostos pela natureza. Vejamos um exemplo bem ilustrativo: a reprodução estava biologicamente correlacionada com a prática sexual, mas o surgimento da pílula anticoncepcional desfez essa correlação, abrindo perspectivas insuspeitadas até poucas décadas atrás, ou seja, os anticoncepcionais alteraram o destino biológico de nossa espécie. **Isso aconteceu em virtude do exercício de nossa razão, outra peculiaridade da espécie, o que quer dizer que somos um tipo muito especial de animal, portadores de potencialidades até para alterar nossa natureza biológica. Essas mudanças que temos feito vêm determinando importantes desvios na rota individual e social de nossa espécie.**

Tais considerações são capazes de trazer uma chama de esperança e de otimismo àqueles que têm se dedicado à reflexão mais consistente e profunda sobre nossa condição. Os pensadores mais sofisticados quase sempre foram maltratados pelo pessimismo e pela desesperança. Muitos se tornaram amargos e perderam a capacidade de dar qualquer sentido à vida. Outros, ao chegarem perto do estado de desesperança, não suportaram a dor relacionada com o que viram e então produziram — ou se apegaram a — concessões não muito sólidas, mas que poderiam trazer algum tipo de esperança ou de alívio à depressão. **Estou tentando mostrar que a convicção de que são quase ilimitados os poderes de nossa razão, capaz de vencer obstáculos até dado momento percebidos como intransponíveis, nos proporciona uma perspectiva otimista sem que tenhamos de abrir mão do compromisso com nossa honestidade intelectual.** Se pudermos ser um pouco mais humildes e pacientes, compreenderemos que sempre estaremos no caminho de aproximações da verdade cada vez mais consistentes. Temos de viver sem nos esconder das peculiaridades de nossa condição, pois se elas nos parecem insuportáveis é porque ainda não evoluímos suficientemente para dar conta delas com menos angústia e dor, o que poderá acontecer a qualquer momento.

Voltando ao problema do conceito de liberdade, observamos que cada um define esse estado de uma forma. Muitas pessoas costumam dizer que a liberdade consiste em ter uma vida sexual totalmente indisciplinada e com múltiplos parceiros. Há quem afirme que livre é o indivíduo rico, que não precisa trabalhar, podendo gastar todo o tempo perambulando pelo mundo. Alguns artistas são vistos como livres porque têm coragem de usar roupas extravagantes, além de chocarem e de chamarem a atenção sobre si mesmos em decorrência de seus hábitos. Regis Debray, intelectual francês que lutou com Che Guevara na Bolívia, declarou, em uma entrevista, que se sentiu particularmente livre durante o período em que esteve preso naquele país. Assim, são muitos os modos que levam ao conceito de liberdade.

Podemos iniciar essas observações afirmando que a liberdade é, antes de tudo, um estado de espírito; não pode, pois, ser confundida com nenhum tipo particular de comportamento objetivo. Insisto em ponderar que, se a liberdade for entendida como um modo de vida definido, caminharemos para uma contradição sem saída, uma vez que tal modelo teria de ser escolhido por todas as pessoas, o que seria improvável.

Tenho definido liberdade como uma sensação subjetiva de alegria derivada do fato de o indivíduo se sentir em razoável coerência interior, vivendo de uma maneira que acredita ser a mais adequada para ele. O estado de alegria íntima pode ser considerado orgulho de si mesmo, talvez a forma de manifestação mais consistente e respeitável da vaidade. A vaidade corresponde ao componente de nossa sexualidade responsável pelo prazer de se exibir, de atrair para si olhares de admiração e desejo. Isso pode ser buscado por meio do empenho de se mostrar possuidor de virtudes inexistentes ou de privilégios materiais, da exibição de dotes excepcionais de natureza intelectual, bem como da acumulação de conhecimentos. Acredito que a tendência para tais formas de exibicionismo derive de uma sensação íntima de frustração. Essa sensação desagradável pode estar ligada ao fato de a pessoa se ver obrigada, por múltiplas razões, a viver de um modo em que não acredita. As que estão mais próximas do estado de liberdade que conceituei continuam a ter o prazer exibicionista próprio de nossa sexualidade. O indivíduo que tentar se livrar da vaidade não terá sucesso. O que acontecerá é que ele a exercerá de forma mais genuína: terá orgulho de si mesmo, daquilo que efetivamente é; ficará menos preocupado em exibir peculiaridades um tanto superficiais, ligadas aos privilégios materiais ou mesmo intelectuais.

Não é raro que esse estado de coerência interior seja atingido como decorrência de um acontecimento externo e independente da vontade da pessoa. Ir para a prisão pode ser vivido como uma condição terrível, mas pode ser também a oportunidade de a pessoa sentir-se livre de sua tendência de assumir excessiva responsabilidade para com terceiros, o que nem sempre corresponde a seus desejos mais sinceros. Muitos só se livraram de trabalhos empresariais maçantes e massacrantes quando tiveram a infelicidade de fracassar em seus negócios; apesar de dolorosa, essa pode ter sido a oportunidade para a realização do sonho de se mudar para uma pequena cidade no litoral ou no campo. Sonhavam com isso, mas não se viam com coragem para executar tal projeto. Foram ajudados pelos fatos e puderam encaminhar sua vida a uma solução interior e concreta mais próxima da coerência. **Um de meus objetivos ao escrever este livro é ajudar as pessoas a proceder de acordo com o que anseiam, sem que tenham de sofrer algum contratempo grave, o que, não podemos deixar de reconhecer, tira um pouco do significado da ação.**

Não subestimo a pressão que o meio exerce sobre nós e muito menos julgo que sejamos imunes ao esforço de indução de comportamentos exercido pelos representantes da ordem estabelecida, tanto os governos como a publicidade, que é porta-voz dos grandes interesses econômicos. Não acredito, porém, que devamos considerar esses fatores externos tão poderosos a ponto de não termos outra saída a não ser nos rendermos a sua pressão. É claro que cada cultura propõe padrões de comportamento e que, desde pequenos, somos expostos a eles. É fato também que somos induzidos a pensar que estaremos sujeitos a fortes represálias caso nos tornemos "ovelhas desgarradas", se tentarmos fugir às regras. Quem acreditar nisso tenderá ao acovardamento. Resta saber se, de fato, o meio social e aqueles que exercem a liderança têm efetivo poder de punição ou se nos temos acuado indevidamente em decorrência de acreditarmos em uma idéia falsa.

Não tenho dúvida acerca de nossa tendência de minimizar o peso de nossas fraquezas íntimas e de superdimensionar as pressões que sofremos de fora para dentro. É dor menor ver-se oprimido do que se reconhecer limitado. É mais confortável a condição de vítima. Não é impossível que seja exatamente por essa via que nos tornemos mais vulneráveis às pressões de fora: preferimos ver as coisas dessa forma a termos de deparar com as limitações internas. Aceitamos a hipótese proposta pela cultura de que as transgressões trarão conseqüências muito danosas e nos rendemos. **Mas, afinal, que poderes têm esses "donos do mundo", que tanto mandam em nós? O que poderão fazer de concreto contra as pessoas em geral se elas decidirem, todas ao mesmo tempo, aceitar a sugestão de um amigo e parar de fumar de uma hora para a outra? O que seria do mundo se todos decidissem não comprar mais automóveis? Os pilares de nosso sistema econômico podem ser derrubados sem que haja vítima alguma, o que pode exemplificar como temos minimizado nosso poder pessoal e coletivo de rebelião. São muitas as mudanças que podemos fazer em**

nossa vida sem que o "meio social" ou "os outros" tenham qualquer chance de retaliação. Temos de nos voltar mais claramente para nossa subjetividade e conhecer melhor os fatores internos que nos limitam.

Mesmo não atribuindo aos fatores externos o papel decisivo para a repressão de atitudes mais coerentes das pessoas, não posso deixar de me impressionar com o poder de influência de alguns grupos sociais para fazer que seus usos e costumes sejam incorporados por uma sociedade inteira. Tal processo de influência se dá, principalmente, pela publicidade, tão poderosa e presente nos veículos de comunicação de massa. De repente, todos estão se vestindo de determinada maneira, comendo certas comidas, tomando vinho quando até então só gostavam de cerveja etc. O poder de sedução da publicidade não pode ser desprezado. Ele se exerce, como regra, pela via erótica, acoplando a novos produtos nosso poderoso instinto sexual. Não podemos nos colocar de forma dócil e sem crítica, uma vez que todas essas novidades nos são apresentadas como algo que aumentará nossa liberdade e melhorará nossa qualidade de vida. Se algumas inovações são mesmo simplificações geradoras de conforto, outras existem apenas para complicar a vida e trazer destaque a uns poucos privilegiados que venham a ter acesso a elas. É preciso ter cautela e estar sempre muito atento ao que nos chega de fora.

Vale a pena insistir em que, para mim, liberdade é uma sensação de alegria que deriva da coerência entre o que pensamos — nossas idéias, nossos conceitos — e o comportamento objetivo que temos. O processo é dinâmico, de modo que sempre é bom refletirmos profundamente sobre nossos pontos de vista para sabermos se são nossos de fato ou se nos foram "inoculados" pelos instrumentos de pressão de que o meio social dispõe. **Como estamos constantemente mudando de pontos de vista, também temos de ir modificando nossa conduta. Muitos são os momentos de crise, nos quais as velhas idéias estão abaladas e os novos conceitos ainda não se estabeleceram. Seria ingênuo esperar coerência nesses períodos.** Quando há sintonia entre pensamentos e ações, experimentamos a agradável sensação subjetiva de alegria e orgulho de nós mesmos, a mais sofisticada forma de expressão da vaidade. Podemos perfeitamente agir de maneira a conciliar a vaidade e nossas mais legítimas convicções racionais. Podemos perseguir o prazer, mais estável, de conseguirmos ser portadores de integridade e coerência, em vez de buscarmos apenas o prazer efêmero proveniente da aquisição de uma roupa nova, de um novo modelo de carro ou de uma nova conquista erótica. É preciso reafirmar que essas outras formas de expressão da vaidade não teriam a importância que têm para a maioria das pessoas se não tentassem compensar a perda irreparável que deriva da quebra da coerência interior.

TEMOS DE COMBATER A TENDÊNCIA DE NOS DEIXAR SEDUZIR POR BELAS IDÉIAS

Ao percorrermos o caminho que poderá nos aproximar da liberdade, temos de nos aprofundar na compreensão dos múltiplos componentes de nossa vida interior. Sim, porque, se a liberdade depende essencialmente da coerência entre conceitos e comportamento e se acreditamos que não devemos dar tanta importância aos fatores externos (sociais) na determinação de nossas incoerências, precisamos mesmo é ir atrás dos processos intrapsíquicos que possam gerar enganos relevantes. Claro que nossos processos íntimos são ricos em contradições e o que buscamos não é aquela impossível ausência de conflitos e dualidades. Nossos conceitos podem perfeitamente se formar com o reconhecimento da presença dessas mesmas contradições, o que determina a necessidade de uma tomada de posição racional em relação a elas. Por exemplo, uma pessoa que sente plena fé em Deus pode, apesar de reconhecer a presença em si de desejos de natureza sexual, optar pelo celibato e pela total abstinência sexual. Isso acontecerá graças a sua decisão de levar uma vida voltada para uma religião que considera imprescindível tal tipo de sacrifício. O fato de que são muitos os casos em que essa decisão é influenciada por outros tipos de conflitos emocionais não deve ser usado para invalidar as posturas oriundas de uma genuína convicção. **Portanto, cabe à razão decidir, entre as várias tendências, qual deverá prevalecer. O indivíduo será coerente desde que se comporte de acordo com sua deliberação.**

É sempre bom sermos rigorosos na avaliação de nossas decisões, uma vez que não são raras as situações em que emoções variadas — inveja, medo, raiva, desejo de vingança, insegurança etc. — se intrometem no processo racional de forma sutil. Nesses casos, chamamos de racionalização os raciocínios, precários, que são influenciados por emoções e que podem parecer lógicos, mas servem mesmo para esconder algumas de nossas limitações. Convém avaliarmos nossas reflexões para sabermos se efetivamente nos pertencem ou se nos foram impostas de fora de modo tão sutil que nos tenham passado despercebidas.

A freqüente existência de racionalizações em nosso processo mental é da maior importância, porque pode muito bem ser a causadora de muitos dos enganos que poderão nos afastar da liberdade. Isso nos remete a um aspecto relevante de nossa forma de ser, que é o brutal desgosto que sentimos diante das verdades da condição humana. **Por vezes, penso que o primeiro ser humano com poder de raciocínio que surgiu olhou para si mesmo e para sua condição – a de mortal, de desamparado e insignificante diante do universo – e disse: "Não gostei". Acho que, desde então, todos que o sucederam vêm tentando desesperadamente "inventar" outra condição melhor do que aquela constatada de início.** Temos buscado incansável e incessantemente encontrar grandezas para nós e para a espécie; atribuímo-nos uma importância duvidosa e pretendíamos um papel de destaque no cosmo, de modo que resistimos ao fato de que o planeta Terra não é o centro do universo. Colocamo-nos como o filho pródigo da divindade, tentamos esconder de nós mesmos muitas de nossas propriedades, especialmente aquelas que nos fazem muito parecidos com os outros mamíferos. Há apenas 150 anos, fomos obrigados a reconhecer, com enorme dificuldade, que Deus não usou um molde muito original para nossa elaboração.

Temos razão suficiente para compreender nossa dolorosa condição, mas nem sempre conseguimos suportar o que constatamos. Em virtude da intolerância que se segue a tal incompetência, temos nos distanciado dramaticamente de nós mesmos e nos tornado ignorantes acerca de nossas propriedades, muitas das quais foram "catalogadas" como indignas pela também precária reflexão moral que temos produzido. Estas foram encobertas, do mesmo modo como colocamos a sujeira debaixo do tapete. Somente há cerca de cem anos é que fomos obrigados a reconhecer, ao menos de modo insofismável, que somos portadores dessas "sujeiras", que desapareceram de nossa consciência e se instalaram em outra instância psíquica, chamada inconsciente, cuja existência é a prova de que nós, seres humanos, temos exercido, de forma regular e persistente, a "política do avestruz": escondendo-nos e afastando-nos de nós mesmos. **O inconsciente não constitui, a meu ver, nenhuma estrutura anatômica de eliminação impossível. No entanto, nem por isso temos agido de maneira rigorosa. Inicialmente, lutamos contra sua descoberta e, sobretudo, contra seu descobridor. A partir do momento em que fomos obrigados a nos render diante dos fatos, não tomamos nenhum tipo de providência para acabar, o mais rapidamente possível, esse "esconde-escon-**

de", que tem sido causa de tantos desgostos e sofrimentos. Não vejo sequer nos profissionais de psicologia essa postura de que o passo seguinte à descoberta do inconsciente deveria ser o esforço para sua eliminação. O que têm feito é prover desvendamentos, limitados e específicos a cada caso, com a finalidade de atenuar o sofrimento de quem os procura.

É possível que tenham sido justamente os indivíduos mais dotados de inteligência — e, em certo sentido, mais lúcidos — que pior digeriram o fato de nossa condição não ser portadora da grandeza e dignidade de que nossa vaidade gostaria. O que fizeram? Trataram de inventar um sistema de pensamento do qual poderíamos deduzir conclusões enaltecedoras de nossa condição, ao menos para os portadores de boa capacidade para a renúncia e para o sacrifício. As dores relativas a nossa insignificância cósmica foram atenuadas por essas proposições que nos elevam, que nos distanciam dos outros animais, incapazes de qualquer tipo de renúncia. Assim, ao nos sacrificarmos, estaríamos nos elevando, transcendendo nossa condição e nos aprimorando. Tal postura, gratificante para a vaidade e capaz de nos atribuir grandeza, é a marca registrada de muitas das doutrinas filosóficas e religiosas construídas ao longo de milênios de história.

Infelizmente, é preciso admitir que tais esforços para a "superação" de nossa condição só têm nos afastado de forma dramática de nossas peculiaridades mais legítimas. E, o que é mais importante, não estão

sendo úteis para que nos aprimoremos de modo efetivo. O fato é que belas teorias e boas palavras não farão desaparecer da prática humana a agressividade derivada da inveja, do ciúme e da rivalidade entre irmãos, as hostilidades que sempre estiveram presentes nas relações entre homens e mulheres, e assim por diante. **As belas idéias não têm contribuído para nenhum aprimoramento objetivo dos seres humanos.**

Poucos foram os que se dedicaram à tarefa, ingrata mas fundamental, de perseguir nossas peculiaridades mais verdadeiras olhando mais para baixo do que para cima. Poucos se despojaram de ideais grandiosos em busca das propriedades que são parte efetiva de todos nós. Muitas de suas descobertas podem parecer óbvias, mas são elas as mais difíceis de fazer. Estes, talvez os mais corajosos entre todos nós, percorreram o caminho inverso daqueles que procuraram dar grandeza a nossa condição. Chegaram perto de nossas propriedades mais essenciais, que nem sempre são as mais dignificadoras, geradoras de orgulho ou de sensações de superioridade.

Vale repetir quão difícil é tolerarmos o convívio com a verdade. Assim, não é de espantar que muitos daqueles que conseguiram ver de modo mais claro e sem falsificações as peculiaridades de nossa condição não agüentaram e se deprimiram. Esse estado de tristeza costuma vir acompanhado de certo pessimismo e descrença, de forma que tenderam a se tornar muito céticos em relação a nossas reais possibilidades de vivermos próximos de um estado de tranqüilidade e alegria, o que corresponderia à felicidade possível. Em decorrência do estado de alma que os envolveu, tornaram-se incapazes, de meu ponto de vista, de extrair todo o fruto positivo que deriva desse mergulho interior. Por causa do negativismo contido em suas teses, acabaram por influenciar muito pouco as pessoas em geral e os jovens em particular. Estes últimos sempre se deixam seduzir mais facilmente pelos belos ideais e pelas pregações que enaltecem nossa condição, uma vez que lhes permitem continuar a sonhar com uma vida heróica e rica em glórias.

É possível fazer uma grande síntese do que tem sido o modo de pensar das gerações que nos antecederam. De um lado estão aqueles que louvaram nossas virtudes e nossa capacidade de transcender, de nos comportar para além das peculiaridades dos outros mamíferos. Mostraram que podemos ser generosos, solidários, piedosos, preocupados com os outros, tudo, enfim, que nos conduza a uma auto-avaliação positiva, que nos aproxime da divindade e nos afaste dos animais. Muitas de nossas verdadeiras propriedades, como a inveja, a vaidade e a agressividade, são negadas e vão para o porão do inconsciente, de onde influenciam dramaticamente a conduta real da maior parte das pessoas, mesmo daquelas que se pretendem mais idealistas e despojadas. Nestas, a vaidade manifesta-se em especial pelo prazer de se exibir independentemente das coisas materiais. Não há como negar que essas pessoas sentem-se um tanto superiores às demais e as tratam com um misto de desprezo e condescendência. **De outro lado estão os que não se**

adaptam a essa fórmula e são mais seduzidos por aquilo que seus olhos vêem, pela vida real. Para eles, a vaidade se exerce por meio do sucesso social e material. São os que se sentem superiores em razão de sua competência e habilidade em lidar com as coisas práticas da vida. Não é raro que se sintam humilhados quando se comparam com os que tentam se destacar pela via da renúncia e do desprendimento da matéria.

Tanto o primeiro grupo como o segundo correspondem às elites, visto que a grande massa da população fica à margem dessas questões, apenas lutando pela sobrevivência; admira e inveja os dois tipos de minorias, as quais também sentem inveja uma da outra. **É como se existisse um pacto sutil e inconsciente entre as minorias para que tudo continue como está, uma vez que a vaidade se gratifica muito quando o indivíduo percebe que seu modo de ser está sendo invejado pelos que a ele se opõem.**

Seguramente, estamos no limiar de uma nova era e, nas próximas décadas, presenciaremos mudanças radicais em nossa maneira de viver e pensar. **Acredito que uma das peculiaridades desse futuro próximo consistirá no empenho para trazer à tona tudo que ocupa o inconsciente, que, portanto, tenderá a desaparecer.** Esse será o ponto no qual poderemos nos orgulhar da coragem que teremos tido para nos desligarmos de um passado governado pelo auto-engano. Já estamos cada vez mais dispostos a conhecer, sem pudores nem rancores, nossas verdadeiras propriedades. Será a partir daí, da capacidade de acumularmos informações reais acerca de nossa vida íntima e de nosso modo de ser, que poderemos formular, pela primeira vez de forma consistente, uma proposta de liberdade. **Quem não aceitar sua verdadeira natureza e usar todo o seu talento para se esconder dela jamais poderá ser livre. A liberdade nasce da coerência e esta só pode se alicerçar no autoconhecimento.**

O SER LIVRE NÃO É EGOÍSTA NEM GENEROSO

Sempre que uso a palavra "verdade" estou me referindo à honestidade intelectual e aos esforços sinceros na direção do conhecimento; não tenho ilusões a respeito e sei que a verdade absoluta é inatingível. **De todo modo, buscar a verdade é um indicador de coragem para a introspecção, condição indispensável para conseguir avançar para o autoconhecimento e para a liberdade. Outro passo importante é revermos nossos valores de ordem moral.** Temos conceituado a virtude e o vício de forma extremamente comprometida com a ideologia da transcendência, ou seja, chamamos de virtude aqueles comportamentos que implicam sacrifício, renúncia e sofrimento, procedimentos que não se observam em outros animais. Sabemos que as pessoas que buscam tais posturas experimentam agradáveis sensações por se sentirem superiores às outras e que essa sensação corresponde ao prazer erótico relacionado com a vaidade. Não cabe aqui detalhar como se estabelece esse tipo de comportamento que denominamos de generosidade. Apenas reafirmo minha idéia de que essa postura não tem por finalidades precípuas — ao menos na grande maioria das situações — o bem-estar e o real benefício de outra pessoa. **O objetivo maior consiste em fazer surgir, nela mesma, o prazer ligado à sensação de elevação e transcendência.** Podemos afirmar que se trata de uma forma requintada de prazer egoísta, uma vez que não é raro que uma pessoa generosa doe mesmo nos casos em que essa atitude seja maléfica para o receptor.

Temos menos dúvidas acerca do egoísmo, tido por todos como falta ou vício do ponto de vista moral. O egoísta procura levar vantagem sempre, tomar para si aquilo que não lhe pertence. Age assim mesmo sabendo que está prejudicando direitos legítimos dos outros. Se considerarmos como norma moral básica aquela que atribui a todas as outras pessoas os mesmos direitos que atribuímos a nós mesmos, não restará dúvidas acerca da imoralidade própria da conduta egoísta. Uma reflexão mais acurada nos mostrará que o generoso também age de modo imoral, já que abre mão de seu legítimo direito em favor de outra pessoa. A generosidade seria, pois, o egoísmo de cabeça para baixo. O mais curioso é observarmos que a renúncia do generoso só pode ser feita para favorecer o egoísta, visto que outro generoso tenderia imediatamente a retribuir a oferenda. **É preciso salientar, ainda, que é duvidosa uma postura que reforça a pior parte de outra pessoa. Sim, porque a generosidade se exerce na direção do egoísta, que, ao ser recompensado por uma conduta inadequada, tenderá a**

se fixar a ela. Assim, cabe fazer clara distinção entre tais condutas generosas e aquelas efetivamente altruístas, em que o beneficiário é ajudado de modo sincero e em geral não sabe sequer o nome daquele que o ajudou. O altruísmo é um comportamento muito mais sofisticado e complexo, no qual existe um verdadeiro ingrediente relacionado com a solidariedade humana — entre outros, é claro. **Não creio que seja conveniente atribuir ao generoso e a seus equívocos alguma espécie de atenuante associada a sua boa-fé, uma vez que, como regra, já agiu de forma semelhante em situações anteriores, nas quais teve a oportunidade de receber, em troca de suas "boas ações", manifestações de ingratidão derivada da inveja. O generoso também se trai quando se mostra constrangido por receber algum tipo de favorecimento.** Tal constrangimento pode muito bem nos levar a pensar que, ao dar, esteja pretendendo constranger o interlocutor!

As breves observações que fiz mostram muitos componentes dessa trama curiosa que define uma cumplicidade invisível entre egoístas e generosos, entre a elite que busca o destaque pela renúncia e aquela que o faz por intermédio do usufruto máximo dos prazeres do corpo e da matéria. Parecem mesmo ser as duas faces da mesma moeda. Podemos concluir com facilidade que esse critério de avaliação moral não poderá nos levar a um porto seguro nem nos ajudará na caminhada para a descoberta das verdadeiras peculiaridades humanas. Ao contrário, esse tipo de concepção moral é mais um obstáculo a ser superado, já que temos de nos livrar de um modo de pensar tão arraigado em nossa subjetividade. **Considerar a generosidade uma virtude e o egoísmo um vício é uma concepção a ser abandonada para que possamos prosseguir na rota do autoconhecimento, este, sim, o requisito fundamental para a busca do ser livre.**

Temos a tendência de rotular como vícios — ou como imorais — algumas peculiaridades de nossa condição de humanos. Assim, damos conotação negativa para a inveja, para o ciúme, para nossas tendências competitivas, para a ambição (estas últimas tratadas às vezes como virtudes e outras como vícios), para certas manifestações de nossa sexualidade, para os impulsos agressivos, para os anseios de vingança etc. Essas propriedades se distinguem do egoísmo, uma vez que são parte definitiva de nossa vida íntima, ao passo que o egoísmo corresponde à persistência de um modo de ser próprio da criança e daqueles que não aprenderam a tolerar bem as dores da alma. Se não pudermos aceitar como naturais e livres de avaliação moral tais sentimentos, passaremos a nos envergonhar por possuí-los, condição que reforçará em nós os sentimentos de inferioridade. **É inadmissível uma atitude negativa ante emoções que nos são inerentes e com as quais temos de aprender a conviver, as quais devemos gerenciar para que possamos construir práticas compatíveis com nossa razão, tão biológica e natural em nós quanto todos esses impulsos.** A não aceitação de nossos sentimentos apenas serve para remetê-los ao inconsciente, de onde influenciam muito mais ativamente nossas condutas, visto que burlam com mais facilidade o controle da razão.

O justo é aquele que, do ponto de vista moral, se situa em uma posição de eqüidistância entre o egoísmo e a generosidade, atribuindo direitos idênticos aos que atribui a terceiros. Não cultiva duvidosas sensações de superioridade pelo fato de possuir maior competência para dar-se e renunciar a direitos legítimos, mas também não se enfraquece nem se humilha, pegando para si aquilo que é direito legítimo de outros. Não cultiva as "virtudes" do generoso nem os "defeitos" do egoísta, uma vez que sabe que essa catalogação dos comportamentos humanos é muito arbitrária e em nada ajuda nossos avanços tanto no plano individual como no social. **O justo tem pretensões materiais e exerce sua vaidade de forma direta, sem os rebuscamentos próprios do generoso. Cuida, é claro, para que não atinja seus objetivos à custa dos legítimos direitos de outras pessoas.** Quando sua razão o leva a ter menores pretensões materiais, não exerce essa postura despojada como uma forma mais elevada de existir, assim como jamais olha com ares de desdém para aqueles que decidiram viver de modo diferente do seu.

Ser criatura justa, estar entre as que habitam para além do bem e do mal, definidos como generosidade e egoísmo, é, a meu ver, outro requisito básico para quem pretende conhecer de perto o que seja a liberdade. Em uma primeira fase do processo de evolução, aquele que era generoso — e que com mais facilidade evolui para a justiça — poderá experimentar o progresso como retrocesso, como um rebaixamento moral. É claro que isso corresponde a um sofrimento, a uma dificuldade que terá de ser ultrapassada, apesar da dor. Sim, porque a sensação é de se tornar fútil, um ser banal. **Não deixa de ser curioso percebermos que nosso psiquismo, treinado segundo os valores morais que temos cultivado, registra o sofrimento como grandeza e classifica de futilidade a defesa de nossos direitos e o usufruto dos momentos mais amenos e favoráveis.** Nesse modo de sentir, abdicar do sofrimento exagerado para se transformar em uma pessoa mais justa e parar de perseguir a dor e a renúncia com o objetivo de se engrandecer pode parecer, em um primeiro momento, uma involução moral. Mesmo que venhamos a nos sentir assim, não creio que devamos desistir dessa rota, já que ela está respaldada por essas reflexões que satisfazem nossa razão. Quando há um antagonismo entre razão e algum sentimento ou emoção, o mais prudente é optarmos por aquilo que a razão nos diz.

2

A BIOLOGIA E A QUESTÃO DA LIBERDADE

dois

SOMOS TODOS DIFERENTES

Farei aqui breves considerações acerca de algumas propriedades de nossa espécie que considero de importância imediata para a questão da liberdade. Não são reflexões que agradam sempre, pois nos sentimos mais dignos e grandiosos quando pensamos sobre a condição humana de forma diferenciada, menos dependente de fenômenos fisiológicos que nos aproximam dos outros animais. Como não podemos nos descuidar nessa caminhada na direção da verdade para não nos perdermos do objetivo final — aproximarmo-nos da condição de ser livre —, temos de ir um pouco mais devagar. **Não podemos desprezar nenhum item que possa aprimorar nosso autoconhecimento, nem mesmo aqueles que, à primeira vista, pareçam ser ofensivos à vaidade e a nosso desejo de singularidade.** Vale a pena seguir essa rota, pois aqueles que conseguirem suportar o sabor um tanto amargo que, por vezes, acompanha a descoberta de algumas de nossas peculiaridades e aprenderem a conviver com elas sem ressentimento estarão de frente para um novo horizonte. Essa nova perspectiva pode não ser grandiosa, mas é muito mais agradável do que se pensa.

Dentre as peculiaridades biológicas que considero extraordinariamente relevantes para a questão da liberdade, destaca-se inicialmente aquela que diz respeito a nossa singularidade, derivada de diferenças individuais maiores do que aquelas que costumamos nos atribuir. Não estou indo contra os conceitos de natureza religiosa e política que nos ensinam que todos somos iguais perante Deus e temos os mesmos direitos sociais. Tais afirmações me parecem indiscutíveis, pois basta que estejamos a certa distância de um aglomerado humano para percebermos nossas semelhanças. Ao olharmos uma cidade do alto, pela janela de um avião, ela se parece com um formigueiro, em que nos distinguimos tanto quanto somos capazes de distinguir, observando superficialmente um formigueiro real, as diferenças entre esses pequenos animais. Da mesma forma, a igualdade de direitos sociais pode ser deduzida, com facilidade, das questões de ordem moral que citei anteriormente. Assim, afirmarmos que nossos direitos e os das outras pessoas são idênticos é algo que nos soa familiar e verdadeiro. Lamento apenas que a prática possa nos revelar um quadro diferente acerca desse assunto tão importante.

O interessante é que podemos observar os homens de forma genérica e a certa distância, condição na qual enfatizamos as semelhanças que nos caracterizam. Podemos nos ver também mais de perto, e aí o que mais nos chama a atenção é exatamente a existência de grandes diferenças individuais. Os rostos são compostos dos mesmos elementos, têm diâmetro quase igual e, ainda assim, não são idênticos nem mesmo nos gêmeos univitelinos — aliás, nossa metade direita não é igual à esquerda! Ora, se isso é fato para nossa aparência física, o que dizer de nosso cérebro, formado de bilhões de neurônios arranjados de maneira particular e, desde o início, submetidos a vivências próprias? As mentes são diferentes não apenas por razões de nascença e por termos sido expostos a experiências peculiares como também porque fizemos observações próprias acerca dessas experiências. Esse último fator, relacionado com o fato de que, desde cedo, passamos a pensar por nós mesmos, explicaria as importantes diferenças na conduta psicológica encontradas até entre gêmeos idênticos que cresceram no mesmo ambiente familiar.

Assim, é impossível imaginarmos dois indivíduos idênticos em tudo, pensando, sentindo e reagindo da mesma forma diante das mesmas condições objetivas e subjetivas. Somos todos diferentes, pensamos de modo próprio e temos muito mais dificuldade para nos comunicar do que costumamos supor. A consciência acerca desse aspecto de nossa condição talvez pareça, à primeira vista, muito dolorosa em decorrência da sensação de solidão que pode nos provocar. Não deixa de ser verdade que, no sentido mais profundo, somos todos sós, porque, entre outros motivos, jamais poderemos nos comunicar com perfeição. Entretanto, como sempre, existe o outro lado da moeda: **aqueles que conhecem a verdade podem buscar uma comunicação me-**

lhor, uma vez que se esforçarão mais para aprimorá-la justamente por saberem como ela é difícil.

O fato de nos vermos como iguais perante Deus e a sociedade e como diferentes de cada um de nossos pares não representa uma contradição em si; apenas mostra que podemos verificar o mesmo fato de dois ângulos diferentes e extrair resultados que, de certa forma, se complementem. Muitas vezes, essa duplicidade pode ser usada de modo impróprio e maldoso — por exemplo, tomando como válidas as observações acerca das diferenças quando estamos diante de um caso em que o apropriado seria pensarmos em nossas semelhanças. Como regra, acredito que a idéia de nossas diferenças é mais relevante para a psicologia, e seu uso em questões sociais pode estar a serviço de intenções duvidosas.

Não quero ser nem parecer ingênuo ao tocar nesse tema. Não acho, mesmo do ponto de vista político, que podemos pensar apenas de acordo com os conceitos que derivam de nossas semelhanças. **Nossas diferenças também se manifestam no plano da vida social e talvez sejam um obstáculo intransponível para as tentativas de concretização das utopias igualitárias, as quais são constituídas por belas idéias que geram belos ideais, mas não se concretizam porque não correspondem aos fatos; são idéias belas mas falsas. Somos todos diferentes quanto a inteligência, aptidões em geral, porte e beleza física, de modo que é provável que jamais sejamos capazes de construir uma ordem social igual em todos os aspectos.** Isso não justifica o uso malicioso, anteriormente apontado, que visa dar dignidade a proposições sociais claramente discriminatórias. Creio que a postura mais adequada seria a de não subestimar o impacto das diferenças individuais sobre a vida social e buscar novas propostas compatíveis com os fatos e com uma postura moral digna de nossa espécie. Sim, porque somos mamíferos, em muitos aspectos similares aos macacos, porém temos um "computador", uma razão sofisticada que nos permite ir muito além de nossa biologia.

Creio que a constatação de que são enormes as diferenças individuais reforça minha hipótese inicial de que não é prudente buscar um modelo único para o que seja ser livre. As diferenças manifestam-se em todos os níveis, tanto nos mais objetivos e fáceis de constatar quanto em áreas difíceis de mensurar, como no caso de variações na intensidade do desejo sexual ou da maior ou menor tolerância à dor física e às frustrações. Não devemos pensar que as diferenças mais visíveis, como a aparência física, sejam de relevância menor do que aquelas de avaliação mais difícil. Pessoas que nascem e crescem mais belas do que a média — de acordo com os padrões estéticos de sua época — recebem tratamento diferenciado desde os primeiros anos de vida. O inverso também é verdadeiro, de forma que a vida daqueles tidos como feios é repleta de frustrações, de reforços dos sentimentos de inferioridade e de anseios de vingança contra o meio considerado hostil, os quais podem movê-los na direção do sucesso social. Em síntese, podemos dizer que os projetos de vida e o significado da palavra "liberdade" variam em decorrência das diferenças tanto objetivas como subjetivas, essas últimas influenciadas, ao menos em parte, pelas primeiras.

Não nego a importância das interações que estabelecemos com o mundo social que nos cerca, e as questões que decorrem de nossa aparência física são um bom exemplo disso. Contudo, não nutro simpatia por certas correntes do pensamento que consideram que o maior fator determinante das diferenças individuais resulta das peculiaridades da vida cultural e das experiências individuais a que estivemos expostos durante os anos de formação. Esse tipo de raciocínio está profundamente comprometido com a idéia da igualdade entre as pessoas, a qual só não se confirma em razão das estruturas sociais injustas. Penso no sentido contrário: muitas das características das sociedades que construímos derivam das diferenças individuais. A hipótese que enfatiza a importância dos fatores culturais sobre a vida íntima é mais otimista, de modo que sugiro que nos acautelemos diante dela, pois pode conter boa dose de ingenuidade. Tais idéias espalham-se com maior facilidade, uma vez que são muito atraentes para as pessoas de boa vontade que desejam resultados mais ou menos rápidos para seus esforços por uma vida social mais digna e justa.

Ao considerarmos determinadas diferenças derivadas de nossa biologia, talvez sintamos inicialmente certo pessimismo, até porque imaginaremos ter esbarrado em obstáculos intransponíveis. Algumas pessoas se sentem tão abaladas com esse tipo de visão que

desenvolvem uma atitude cínica e oportunista em relação à vida, do tipo "já que não tem jeito mesmo, então vou cuidar de meus interesses e que se danem os outros". Hoje sabemos que nem mesmo os obstáculos biológicos são intransponíveis para nós, animais portadores de razão sofisticada. Entretanto, nossa evolução exigirá mais coragem para ver os fatos como eles são e mais paciência para encontrar boas soluções para os problemas.

Quanto ao peso de nossas primeiras experiências, faço o mesmo raciocínio, ou seja, não desprezo a importância das dramáticas experiências ligadas ao ato mesmo de nascer nem desconsidero as primeiras dores, mormente aquelas que estão presentes em todos nós. Não subestimo a importância das sensações de desamparo, do desespero de nos vermos totalmente indefesos e dependentes, das rivalidades entre irmãos, dos problemas que envolvem os triângulos amorosos da vida infantil etc. No entanto, não sei se estou de acordo com o valor excessivo que certas correntes da psicologia têm atribuído às experiências infantis próprias da história de vida de cada um de nós. Não concordo especialmente com o modo como algumas pessoas refletem sobre as dificuldades ao longo da vida adulta, sempre explicadas e perdoadas por algo que lhes aconteceu no passado. O indivíduo deixa de ser, por exemplo, o vilão que causou uma ação injusta e passa a ser visto como vítima de uma educação imprópria e traumatizante. Não acredito que esse tipo de encaminhamento dos problemas nos ajudará a conseguir, um dia, realizar o sonho de um estilo de vida mais digno e de uma sociedade mais justa.

Uma das mais importantes conseqüências da constatação de que nossas diferenças biológicas são muito relevantes, sobretudo quando o que buscamos é a liberdade, reside no fato de que devemos evitar, a qualquer custo e em caráter definitivo, todos os tipos de comparação entre os seres humanos. Por exemplo, os pais deveriam parar de usar um dos filhos como o exemplo a ser seguido pelos outros. Deveriam, na verdade, parar de usar a si mesmos como modelos a ser seguidos por seus filhos, nascidos diferentes, expostos a outro contexto e formados segundo concepções próprias que não obedecem forçosamente aos mesmos padrões de referência de quem os criou. Além disso, para alguém se colocar como um modelo a ser seguido, teria de estar muito feliz e totalmente convencido de que seu modo de ser é o mais correto e justo, o que não costuma corresponder à realidade interna da grande maioria dos adultos. Igualmente, os países deveriam deixar de usar outros povos como modelo, como algo para imitar. Precisamos — indivíduos e povos — de soluções próprias, que respeitem nossas peculiaridades, ou, como dizia Erich Fromm, "cada um deveria desenvolver as próprias potencialidades". De nada adianta nos empenharmos em atividades para as quais não temos aptidão só para estarmos de acordo com o que determinado grupo social valoriza. Ao agirmos em oposição a nossas potencialidades, nos dirigimos para o abismo das frustrações, para o agravamento de sensações de incompetência e de fracasso. Não poderemos, nessas condições íntimas lamentáveis, deixar de desenvolver um estado de alma depressivo e ressentido, do qual derivará obrigatoriamente a dolorosa sensação de inveja pelos que se saem melhor naquelas atividades a que nos dedicamos indevidamente.

A inveja acontecerá como um desdobramento inexorável de tentativas de exercer uma atividade para a qual não se foi destinado. O mais bem-dotado se destacará e isso provocará a sensação de humilhação no menos dotado, que reagirá como se tivesse sido ofendido, agredido mesmo, pelo simples fato de o outro ser mais competente. A suposta agressão sofrida poderá determinar outra reação violenta, que tentará ser um tanto sutil e disfarçada para que não fique tão claro o motivo de inveja daquela atitude. O invejoso não gosta de ser reconhecido como tal, pois se sente ainda mais inferiorizado.

Sempre que, em uma esfera social, defendemos com insistência a idéia de que somos todos iguais — e já sabemos que isso não corresponde aos fatos — estamos, sem perceber, estimulando o surgimento de um grande contingente de emoções de natureza invejosa. Sim, porque as pessoas acreditam que poderiam fazer o mesmo que as outras, com gosto e facilidade. Ao se darem conta de que isso não é verdadeiro, deprimem-se e ficam profundamente revoltadas. **No caso dos filhos, seria muito mais razoável que as famílias fossem mais sinceras. Deveriam claramente opinar sobre suas potenciali-**

dades e seus pontos fortes e fracos. É mais útil sabermos em que fomos ou não favorecidos pela natureza. Teríamos sido poupados e pouparíamos muito sofrimento se tivéssemos sido educados e pudéssemos educar nossos filhos com esse tipo de mentalidade baseada na verdade. Além disso, acredito firmemente que, por essa via, não mais estaríamos agindo a fim de reforçar a inveja entre irmãos e as pessoas em geral. É por caminhos como esses que deveríamos seguir, usando a sinceridade, um tanto cruel na aparência, para aprimorar as relações entre as pessoas. Isso me parece bem mais produtivo do que as belas idéias falsas.

A inveja tenderá a diminuir muito quando cada pessoa gastar a maior parte de sua energia íntima para se conhecer e saber de suas potencialidades em vez de viver se comparando com outras, suficientemente diferentes para que a comparação corresponda a um erro lógico. Não podemos comparar qualidades diferentes — arroz se compara com arroz e feijão com feijão; a comparação entre arroz e feijão nos leva a um beco sem saída. **Não podemos perder tempo e força em comparações improdutivas e inúteis. Nossa referência deve ser interna. Tenho de conseguir ser o melhor "eu" e sentir que hoje estou melhor como pessoa do que há alguns anos.** Isso é muito mais importante do que saber se estou na frente ou atrás de fulano, se sou melhor do que este ou pior do que aquele. É preciso que cada um cumpra seu caminho, olhando basicamente para si, usando-se como padrão referencial. Não existe maior ou menor, pior ou melhor; há valores construídos para cada cultura em cada época, e todos eles são duvidosos do ponto de vista do rigor de sua elaboração. O objetivo é o autoconhecimento e o aprimoramento pessoal, condição na qual poderemos atingir a mais genuína e consistente forma de vaidade, responsável por nos sentirmos orgulhosos de nós mesmos.

É PEQUENA A NOSSA CAPACIDADE DE PERDOAR OS INIMIGOS

No que diz respeito à agressividade, a biologia que nos governa é muito parecida com a dos outros mamíferos. Não somos muito ou pouco agressivos, mais ou menos violentos do que esse ou aquele animal. Estamos submetidos aos mesmos mecanismos neurofisiológicos, quais sejam, alterações derivadas da descarga de adrenalina — taquicardia, aumento da freqüência respiratória, sudorese, tendência para urinar e evacuar etc. —, que correspondem às mudanças que nos preparam para a luta ou para a fuga. É a reação diante do estresse, indicativa de que estamos frente a frente com uma situação de perigo em relação à qual teremos de tomar alguma providência ou, então, nos casos em que o medo é extremo, ficaremos paralisados, impossibilitados de tomar qualquer tipo de decisão. **Tais mecanismos funcionam de modo independente da razão e, como regra, são mais fortes do que ela. Assim, muitas são as vezes nas quais nossa racionalidade se submete a eles, o que determina a reação mamífera idêntica àquela que teria um ser desprovido de consciência.**

Será ingênuo imaginar um ser humano livre desse tipo de reação diante de situações de ameaça. **Reagimos de acordo com as condições de cada momento. Em certos casos podemos agir com a ferocidade de um leão e em outros nos manifestar de forma compreensiva e dócil, tudo isso conforme sejamos regidos pela razão ou por mecanismos fisiológicos mais fortes do que ela.** O fato é que, a partir de certo grau de ameaça, quando o meio externo se mostra essencialmente hostil, reagimos com violência máxima ou com a paralisia própria dos que se vêem sem forças para enfrentar o perigo.

Estou convicto de que não temos ações agressivas e de que agimos com violência em reação a alguma coisa que nos ofendeu ou ameaçou. Acho que é assim também a fisiologia da agressividade nos outros mamíferos próximos de nós na escala evolutiva. **Não somos, pois, criaturas destinadas à maldade, à violência e às guerras.** Podemos, porém, agir de forma muito destrutiva quando nos sentimos ofendidos ou ameaçados por alguma circunstância externa. **Enquanto os animais só reagem a ameaças concretas, nós, por termos capacidade de imaginar, podemos reagir a supostas agressões ou mesmo nos proteger contra supostas futuras agressões.** Uma vez que não apenas observamos os fatos, mas também os interpretamos, podemos nos sentir agredidos por circunstâncias duvidosas aos olhos de outras pessoas, que interpretariam o mesmo fato de outra forma.

Assim, em virtude de nossa capacidade de imaginar e interpretar os fatos que nos ocorrem, pode ser que sejamos animais mais predispostos a manifestar reações agressivas. **Pessoas muito melindrosas, por exemplo, podem se sentir agredidas o tempo todo e reagir a isso com violência. O tipo de reação agressiva mais comum, oriunda de complexos processos psíquicos, é a inveja.** A pessoa se vê humilhada diante de determinadas virtudes que observa no outro e gostaria de possuir. Ela se sente gravemente ferida na vaidade ou no orgulho, prejudicada e menos favorecida. Reage porque se sentiu ofendida pelo simples fato de o outro existir e ser como é. Tenta destruir as virtudes incômodas ou quem as tem. Procede assim para se vingar da sensação dolorosa de ter se sentido inferior.

Vai ficando claro que, apesar de não sermos portadores de uma agressividade particularmente intensa, tendemos a reagir dessa forma com grande freqüência porque não respondemos somente às adversidades externas reais, mas também ao que imaginamos, à maneira como interpretamos os fatos e ao que nos ofende na vaidade. **Ou seja, além da possibilidade que temos de aprender a controlar melhor a agressividade pelo fato de possuirmos razão, esta poderá ser geradora de novas sensações de ameaça e violência contra as quais devemos nos defender.** Temos ainda outra peculiaridade proveniente da influência da razão sobre nossa agressividade: a substituição do objeto da violência. Quando, por exemplo, um homem é agredido por seu patrão, contra o qual não pode reagir sob pena de perder o emprego, poderá chegar em casa muito irritado e humilhado. Ao criar alguma pequena desavença com sua esposa ou seus filhos, usará isso como canal para descarregar a hostilidade que ficou represada. Assim, o indivíduo calou-se diante da situação que efetivamente o ofendeu, que foi de real violência. E o fez graças ao controle que conseguiu ter em decorrência do medo das represálias às quais estaria sujeito ou porque ficou paralisado pelo medo excessivo. Não tendo meios para reagir à altura na situação original, optou pelo silêncio, que também pode ser interpretado como o equivalente humano da fuga diante de um oponente mais forte.

Acontece que nossa capacidade de "digestão", de "deixar para lá" a ofensa, é muito modesta. Na verdade, ficamos "ruminando" a situação, relembrando-a, vendo de que forma poderíamos ter nos defendido melhor ou que tipo de reação poderíamos ter tido para vencer aquele embate. Imaginamos vinganças de todo tipo, o reencontro com aquela pessoa em outra condição que nos seja mais favorável, na qual teríamos a possibilidade de uma reação à altura da ofensa e humilhação que sentimos. Reagimos e nos reencontramos com nossa "dignidade", ainda que seja por meio de fantasias, o que é capaz de provocar algum alívio. Todos esses esforços, que podem ocorrer principalmente enquanto tentamos dormir, não impedem que necessitemos da descarga indireta, substituindo o agressor poderoso por algum interlocutor mais frágil e indefeso — que, depois, agirá assim com outro ainda mais indefeso!

Esse é o verdadeiro ser humano, incapaz de perdoar totalmente seus agressores. Poderá refletir muito e ten-

tar entender os motivos que porventura o tenham levado a agir com maldade contra ele. Poderá se esforçar para "deixar para lá", para se livrar da raiva que tanto o incomoda. Contudo, não serão raras as vezes em que não conseguirá se livrar dela em definitivo, a não ser quando tiver alguma oportunidade de vingança. Poderá esperar muito tempo para revidar ou fazê-lo de modo sutil e indireto. Não é sempre que somos capazes de esquecer, de "deixar por isso mesmo". É uma lástima, mas é assim. **Aqueles que não reagem na hora, que aparentemente são os mais controlados e têm maior força racional para lidar com o impulso agressivo são exatamente os que podem sofisticar mais suas respostas.** Como não reagem de imediato, têm mais tempo para encontrar formas mais elaboradas de vingança. Pode-se esperar tudo deles, até retaliações mais violentas.

A agressividade é, pois, propriedade inerente a todos os animais, o que nos inclui. É impossível imaginarmos humanos desprovidos de qualquer tipo de reação violenta diante de hostilidades externas, assim como é muito difícil que consigamos nos livrar totalmente da mágoa que os agressores nos causaram. Se tivermos uma vida íntima consistente e governada por princípios rigorosos, talvez não reajamos a uma eventual agressão. Todavia, nossa memória registrará o fato e dificilmente conseguiremos deixar de lembrá-lo com dor e certo rancor.

É evidente que tendemos a nos comportar com maior ou menor violência conforme as condições que nos cercam. Se vivemos em um ambiente violento, va-

mos nos tornando constantemente preparados para a luta ou para a fuga. Se estamos em um ambiente doce e sereno, vamos nos desarmando e deixando nossas desconfianças de lado. Temos desconfiança quando nos encontramos em estado de alerta, sempre esperando por uma situação de violência. E isso é mais provável quando vivemos um clima em que a hostilidade poderá surgir com facilidade. Se moramos em uma cidade muito violenta, acabamos por nos tornar criaturas amedrontadas e desconfiadas, olhando sempre para os lados e esperando uma situação de perigo a qualquer instante. Se, no entanto, estamos em uma colônia de férias ou em um cruzeiro marítimo, vamos ficando doces e desarmados, muito mais tolerantes e afáveis do que costumamos ser na vida cotidiana.

A situação inversa à do cruzeiro marítimo é a da guerra. Grupos de homens e mulheres — unidos por um ideal de conquista ou mesmo humanitário — desenvolvem uma capacidade de agressão raramente observável em indivíduos isolados. Eles se tornam competentes para matar ou morrer pela pátria nem sempre tão amada e por motivos nem sempre muito nobres. **Basta que se crie determinado clima de integração, no qual parece acontecer uma espécie de "diluição" total de cada individualidade, de modo que cada um passa a se sentir apenas como uma peça do todo.** O chocante mesmo é que, quando o indivíduo se reconhece como peça de um todo maior, as idéias de matar ou de morrer surgem completamente desprovidas dos significados que ele lhes atribui em sua vida civil, em seu cotidiano. **A despersonalização, a perda da identidade parece ocorrer a ponto de a pessoa perder toda a capacidade para a mais singela reflexão. Ela se limita a reagir e a responder a alguma voz de comando nem sempre muito sábia.**

Um último aspecto merece ser mencionado nestas brevíssimas considerações acerca da agressividade, as quais têm por objetivo apenas fortalecer o conceito de que não é conveniente subestimarmos nossa biologia quando queremos nos aproximar, de verdade, de nós mesmos. **O aspecto que quero abordar é o da dificuldade que temos para aprender a ter reações agressivas intermediárias, que não sejam as de tudo ou nada.** Em situações de conflito, algumas pessoas calam-se, enquanto outras partem para a violência verbal ou mesmo física, descontrolada e descabida. **São muito raros os indivíduos que conseguem percorrer os seguintes passos: primeiro, registram que estão sendo submetidos a certa agressão e usam a razão para determinar a intencionalidade do acontecido e sua real gravidade; em seguida, refletem sobre qual a melhor postura a ser tomada: desprezar a agressão involuntária — um pisão no pé em um transporte coletivo, por exemplo — ou responder à altura do que aconteceu, podendo escolher alguma resposta firme, mas não se calar nem ofender o agressor; finalmente, realizam exatamente aquilo que deliberaram fazer.**

São pouquíssimas as pessoas que têm razão suficientemente forte para poder interceptar o processo de se sentirem agredidas e de dar alguma resposta imediata. É claro que se trata de grande poder e domínio sobre si mesmo, condição que só será alcançada por intermédio de sofisticado e difícil crescimento interior. Qualquer que seja a dificuldade que tenhamos para chegar a isso, para podermos aprender não só a contar até dez antes de reagirmos, mas também a refletir sobre a resposta mais adequada, é evidente que se trata de importante meta a ser buscada. O maior avanço que poderemos ter não consiste, pois, em negarmos nossa biologia, que nos fez portadores de agressividade, mas sim em aprendermos a interpor nossa razão e fazê-la atuar exatamente entre o momento da agressão e o da resposta. É lamentável chorarmos quando somos ofendidos ou querermos matar alguém no trânsito apenas por não estar dirigindo corretamente, segundo nosso ponto de vista.

QUANDO PROVOCADOS, SOMOS COMPETITIVOS

Neste ponto de nossas reflexões, cabem algumas considerações acerca da interação entre biologia e cultura. **Não considero obrigatório o antagonismo entre elas, a biologia "pedindo" determinadas condutas e a cultura reprimindo-as. As brigas internas entre a razão e os desejos são exemplos dessa oposição, na qual a razão representa a cultura e os desejos são quase sempre de natureza biológica. Existem desejos que são criados pela própria cultura, relacionados, por exemplo, com os bens de consumo, e que podem se opor a nossa razão.**

No que diz respeito aos impulsos básicos, muitos são os casos em que razão e desejos se compõem com o intuito de formar produtos finais bem estáveis. Sim, porque, onde existe o claro antagonismo, não são raras as situações em que a conduta final respeita, de modo alternado, um ou outro lado do dilema. Quando biologia e cultura conseguem se compor e criar uma solução de equilíbrio, provavelmente nos vemos diante de condutas mais estáveis, de respostas mais definidas e sempre na mesma direção. Ao observar alguns pormenores da sexualidade humana, é possível descrever casos em que o antagonismo se manifesta claramente, como nas questões da fidelidade sexual, condição que implica uma briga contínua, com vitória ora de uma das partes envolvidas no "conflito" íntimo, ora da outra. Quanto a esse mesmo aspecto, em alguns casos biologia e cultura se compõem de modo mais estável: o maior exibicionismo sexual feminino é derivado da maior importância da visão no processo de desencadeamento do desejo masculino. Assim, as mulheres tornam-se mais vaidosas fisicamente porque são reforçadas pelo desejo que despertam nos homens. A cultura reforça a vaidade física feminina, o que está em sintonia com a biologia sexual da espécie, determinando condutas que nos acompanham ao longo dos séculos. Se a preocupação com a aparência física masculina, em moda no início do século XXI, não encontrar o reforço do sucesso perante as mulheres, tenderá a desaparecer.

Nossas reações agressivas são inevitáveis, mas podem ou não ser estimuladas pelo meio social. Não con-

vém desprezarmos o lado cultural só porque existem as bases biológicas. Supomos que o crescimento demográfico em grandes centros urbanos seja fator predisponente do aumento das chances de atrito e, portanto, da violência entre os humanos, assim como acontecem mais lutas territoriais entre os macacos quando estão vivendo de modo muito concentrado. Isso, porém, não pode ser usado para diminuir a importância dos problemas derivados de dada forma de vida social, em que as graves desigualdades geram um estado permanente de humilhação dos mais pobres, incomodados com a fortuna de uns poucos. A inveja é própria de nossa condição, mas a desigualdade social poderia ser tema de preocupação maior das pessoas em geral e dos governantes em particular. Deveriam se preocupar mais com o fato gerador da violência do que tentar resolver todo o problema pela via policial.

O tema da competição parece, ao menos para mim, muito vinculado ao da agressividade. As considerações a seguir mostram que existem fatores biológicos que nos predispõem à competição e que a cultura participa ativa e, por vezes, contraditoriamente da constituição desse elemento essencial de nosso comportamento cotidiano.

É difícil entender as razões exatas pelas quais os humanos se sentem tão dispostos a competir uns com os outros quando são desafiados. O fenômeno é, ao menos aparentemente, mais intenso nos homens do que nas mulheres. Apesar de eu não gostar de usar os outros animais como referência para o que ocorre conosco justamente porque neles a cultura é menos importante, por vezes é interessante observá-los com o objetivo de buscar algum subsídio biológico para condutas que, mais tarde, serão fortalecidas pelas normas da cultura em que vivemos. A competição entre os homens é semelhante ao que notamos entre cachorros machos na questão territorial: um cão permanece sereno em seu espaço até que outro apareça e trate de ocupar aquela "propriedade" urinando em determinados pontos onde farejou a urina do "titular". Estabelece-se um desafio que conduz à luta física, na qual são raros os casos em que há graves mutilações. Em regra, o mais forte submete o perdedor, que "reconhece" a derrota agachando-se e deixando-se cheirar por todo o corpo. O vencedor se afasta e ele se retira dali o mais depressa possível.

As brigas entre meninos na faixa etária de 9 a 13 anos guardam semelhanças incríveis com o que acabou de ser descrito. Brigam por qualquer motivo, em geral com violência física; raramente se machucam, apesar de haver sempre um vencedor, e o perdedor sai do cenário humilhado, sonhando vingança. Talvez porque a sexualidade ainda tenha peculiaridades infantis, a ofensa à vaidade parece ser menor do que a que existiria em situação similar na vida adulta. **Por certo, não podemos desprezar os aspectos culturais existentes no processo, já que as próprias famílias estimulam os filhos à briga e, principalmente, ao revide. O estímulo é muito mais voltado para os meninos do que para as meninas, de forma que a diferença de conduta entre os sexos pode ter sofrido influência da cultura.**

A agressividade relacionada com o orgulho pessoal sempre esteve presente nas sociedades humanas. Assim, é conveniente pensarmos nos componentes biológicos que dão estabilidade e solidez à tendência competitiva que nos assola. Se não tivéssemos essa predisposição, talvez tivéssemos mais facilidade em nos safar das provocações. É fato que elas nos atiçam mesmo quando estamos firmemente convencidos de sua inoportunidade, isto é, mesmo quando nossa razão já se posicionou contra a competição. **É preciso registrar que nossa cultura adota uma posição ambígua em relação ao tema: algumas vezes, considera a competição boa e construtiva; outras, a reconhece como geradora de agressividade e violência. Talvez uma competitividade maior implique melhores resultados práticos para dada sociedade. Contudo, do ponto de vista da qualidade de vida dos humanos, ela só contribui negativamente, afastando as pessoas umas das outras, provocando discórdia e aumentando a tensão interna e o estresse em cada uma.**

Ao longo da vida adulta, a competição estende-se também às mulheres, que não raramente disputam entre si a beleza, a sensualidade e, como os homens, o sucesso tanto profissional como social e financeiro. Que a sociedade estimula as práticas competitivas me parece óbvio. Basta ver como valorizamos os esportes e os profissionais que, em sua área, conseguiram se destacar. Só começamos a nos posicionar de modo crítico em relação à competição quando ela dá sinais de ser maléfica a nossa saúde física e mental e porque, inevitavelmente, atiça a violência entre as pessoas, já que o vencedor é objeto de inveja e hostilidade.

As competições, não só as de natureza esportiva, parecem constituir um importante entretenimento para a maior parte das pessoas. **Costumamos dizer que a vida é divertida e bela, mas tudo indica que a achamos tediosa e repetitiva. Portanto, tudo aquilo que puder nos estimular e provocar uma descarga de adrenalina será bem recebido, apesar de sabermos que essa descarga surte efeitos negativos no organismo.** Gostamos dos jogos em geral, de todo tipo de competição em que a pátria esteja envolvida, de cassinos, de provocar o destino correndo perigosamente em carros, motos etc. Costumamos dizer que queremos ter paz de espírito. Parece, contudo, que muitos optam mesmo pela agitação e pela ação. Essa é outra de nossas contradições, em parte derivada da biologia: os fenômenos amorosos pedem a paz, e os eróticos, a ação. Queremos paz e ação ao mesmo tempo, e isso é impossível; oscilamos o tempo todo de um lado para o outro, em um antagonismo que não se dá entre a biologia e a cultura, mas entre dois pólos de nossa natureza biológica. Adiante entenderemos melhor essa questão.

Ao menos do ponto de vista teórico e respeitada a ressalva acerca de nossa incapacidade para ter longos períodos de paz, pois os achamos tediosos, poderíamos supor que o homem seria sensivelmente menos competitivo se não vivesse em uma sociedade que o instigasse a isso o tempo todo. **Não é difícil imaginarmos viver de forma**

mais serena, sem grande preocupação de vencer ou perder para os vizinhos e os colegas. Contudo, basta que surja uma pequena provocação para que nossa tendência competitiva se manifeste imediatamente e com toda a intensidade. Ela surge para que revertamos uma situação de derrota, que saiamos da condição de humilhação que faz mal à vaidade ou evitemos a dor que, por antecipação, podemos imaginar. **Em uma sociedade como a nossa, somos provocados de forma constante tanto pelo discurso das pessoas como pelo que lemos ou vemos nos veículos de comunicação e na publicidade.** Somos tentados por novos produtos — e tê-los significa sucesso material —, por apelos eróticos que nos garantem que o sucesso com o sexo oposto depende disso ou daquilo; somos provocados por disputas esportivas, intelectuais etc.

Apesar de tudo, trata-se de uma tendência que pode ficar adormecida sem implicar outra insatisfação que não a derivada de nossa incapacidade de trabalhar com a serenidade. Aliás, como não fomos orientados para aprender a lidar com esse estado, nem sequer sabemos se não nos daríamos bem assim — isso, naturalmente, depois de ultrapassarmos a barreira inicial do tédio e de outros sofrimentos relacionados com a renúncia de uma vida mais competitiva. Os que se aposentam deveriam saber que só terão o prazer sonhado depois de certo tempo de tristezas e insuspeitadas dificuldades em lidar com a vaidade ferida pelo fato de terem se tornado criaturas sem importância social. E isso é particularmente forte para os que tiveram carreira mais competitiva e de destaque, em que quase tudo está envolto nesse clima de disputa. Disputamos até mesmo na maior parte das atividades de lazer.

Temos de rever nossa escala de valores se quisermos nos posicionar de modo claro em relação a essa tendência competitiva, que, com facilidade, se torna poderosa em nossa vida íntima. **É necessário reconhecer seu lado negativo, tanto estimulando a violência entre pessoas por causa da inveja que os vencedores provocam nos perdedores como afastando aquelas que poderiam ser amigas — como podem concorrentes, exatamente os que teriam mais afinidades entre si, ser amigos? Isso sem falar dos malefícios físicos ligados ao desgaste que sofremos por viver quase todo o tempo em estado de luta.** Sim, porque competição e disputa são, para o organismo, sinônimos de luta. Mesmo sabendo que os indivíduos em estado de competição são mais produtivos e que uma sociedade composta de tais criaturas tenderá a acumular maior quantidade de bens — que acabarão beneficiando, ainda que de forma desigual, todos os seus membros —, precisamos refletir e ponderar mais para nos posicionarmos com bom senso perante um dilema nada simples.

O HOMEM ESTÁ SUJEITO A MEDOS IRRACIONAIS

As breves considerações que tenho feito acerca de nossas propriedades biológicas e de quanto elas podem interferir na elaboração de um projeto de vida norteado pela liberdade fazem parte de um modo de pensar que não tem a intenção de subestimar nenhum dos aspectos de nossa vida interior. Minha honestidade intelectual jamais me permitiria fazer propostas simplistas; em momento algum menosprezaria determinados obstáculos com o objetivo de provocar um otimismo em curto prazo, sabendo que o futuro mostraria que os fatos não são bem assim. **Não acredito em soluções rápidas e sensacionais, mas sim na reflexão, no estudo das minúcias de nossa subjetividade, nas conclusões ponderadas e em uma execução cautelosa que leve em conta a verdadeira dimensão dos obstáculos. Pode ser um trajeto mais penoso, difícil e até menos atraente para algumas pessoas. Entretanto, quero deixar bem claro que é o único modo de agir que vi gerar resultados positivos e de longa duração.**

Conhecer melhor nossa biologia pode nos ajudar muito a superar as dificuldades que temos de enfrentar no caminho da liberdade; a meta é fazer que esse estado de serenidade, alegria e orgulho íntimo seja atingido e se mantenha relativamente estável. Se conseguirmos isso, estaremos realizando um importante sonho de nossa espécie. Talvez pareça que estejamos trazendo limitadores, fatos deprimentes, ao contexto de nossa busca, uma vez que podem restringir os horizontes do que seja a liberdade possível para nós. Não é assim que sinto nem penso. Abandonar o mundo das ilusões e das idéias sem fundamento nos fatos é desprezar algo que em nada nos ajudaria e nos induziria à perpetuação do ato de sonharmos em vez de realizarmos avanços efetivos. O verdadeiro conhecimento, por mais deprimente que seja, poderá nos auxiliar muito mais na busca dos meios de superação das dificuldades. Repito que sou daqueles que acreditam no potencial inesgotável da razão desde que levemos em conta os fatos como são e não a abasteçamos de falsas idéias sobre como gostaríamos que as coisas fossem.

Neste ponto, tratarei da questão do medo, basicamente daquele que se estabelece em nós ao longo da vida. **Temos medos inatos, próprios de nossa espécie, e outros que se constituem em cada um de nós por meio de um fenômeno neurofisiológico igual ao que existe em outros animais, chamado de reflexo condicionado. Trata-se da possibilidade de atribuirmos um valor especial a um estímulo antes neutro.** A célebre experiência de Pavlov, que descreverei brevemente, esclarece o que se passa em nosso sistema central: antes de se mostrar e dar o alimento a um cachorro, toca-se uma campainha que, até então, não tinha significado algum para ele. Ao se repetirem os passos descritos e obedecendo a critérios bem definidos sobre o intervalo de tempo entre o som e o aparecimento da comida, de um momento em diante o simples toque da campainha (estímulo antes neutro e agora significativo) já é suficiente para provocar no cachorro a salivação (resposta condicionada que antes só aparecia, de forma incondicionada, com o estímulo visual).

O fenômeno do reflexo condicionado também pode ser visto, em todas as suas características, em nossa

espécie. Totalmente independente da razão, é provável que se estabeleça com mais facilidade exatamente quando essa parte de nossa subjetividade ainda está indiferenciada, como nos primeiros anos da vida intra e extra-uterina, ou então quando sua função está prejudicada por perturbações derivadas de doenças físicas e mentais de todo tipo, em especial os estados depressivos.

Existem grandes diferenças individuais quanto ao número de repetições necessárias para que o estímulo neutro se torne significativo. Assim, uma pessoa poderá desenvolver o pavor, ou mesmo o pânico, diante de um único acontecimento traumático, enquanto outras vivenciarão a mesma experiência diversas vezes até que venham a condicionar o medo; outras, ainda, não desenvolverão o medo associado àquela situação, mas sim o medo relacionado com estímulos que são neutros para muitas criaturas. Assim, mesmo os fenômenos mais simples, quando passam a fazer parte da subjetividade humana, sempre se tornam mais complexos. **É o caso também do pânico, um estado descontrolado de medo, próprio de nossa espécie, em que a pessoa passa a viver um sistema auto-abastecido, no qual o medo de voltar a ter medo causa o novo "ataque" de medo.**

A importância dos fenômenos relativos a nossos medos naturais e àqueles que derivam dos reflexos condicionados é tal que muitos profissionais de psicologia acabaram por considerar que essa é a via de acesso mais importante a nossa subjetividade e ao tratamento de nossos maiores males. Surgiram os comportamentalistas, teóricos e práticos que desenvolveram tratamentos interessantes notadamente para os medos. Defendem pontos de vista bem diferentes daqueles que se interessam mais pelos aspectos filosóficos e enfatizam a razão pelos processos que determinam uma luta de forças chamadas, por afinidade com os fenômenos físicos, de psicodinâmicas, que levam em conta a presença de tendências antagônicas — conscientes ou inconscientes — que lutam entre si e poderiam gerar nossas maiores tensões íntimas. Não é pertinente aqui nenhum tipo de discussão teórica, muito menos a respeito da eficácia terapêutica de cada um desses procedimentos, mais recentemente associados — ou não, de acordo com o ponto de vista de cada profissional — a tratamento medicamentoso. **Cabe, sim, o registro de que as várias teorias psicológicas e as diversas técnicas psicoterápicas provêm da ênfase que cada profissional atribui aos processos fundamentais que constituem nossa subjetividade.**

Apenas registro minha posição, que é de caráter não engajado, ou seja, não creio ser importante me filiar a essa ou àquela corrente do pensamento psicológico. Aliás, acho muito pouco científico defender pontos de vista em um setor de atividade em que os fatos devem falar mais alto. Se os tratamentos comportamentalistas são eficazes para resolver determinados casos, então sou a favor deles. O mesmo vale para a psicanálise, para técnicas variadas de natureza psicodinâmica e para as terapias abrangentes e de apoio para momentos particularmente difíceis da vida. **Aliás, todos os terapeutas mais experientes e de maior sensibilidade, independentemente de seus pontos de vista teóricos, agem de forma mista, desrespeitando as teorias radicais e dogmáticas que não fazem grande sentido no domínio da ciência.**

Com relação a nosso tema — o da liberdade —, é clara a importância do bom entendimento desses medos condicionados, em especial daqueles que chamamos de fobias, que são medos de coisas, animais ou situações que não deveriam causá-los, uma vez que não implicam perigo real. Os medos justificados envolvem situações em que o risco é maior do que o razoável. O medo de andar na rua, por exemplo, comum em uma cidade muito violenta, é razoável, ao passo que, se o ambiente for seguro, corresponde a uma fobia. O medo que sentimos diante de um leão é justo e incondicionado, ou seja, já nascemos com ele talvez por razões genéticas; o mesmo acontece com o medo de escuro, de ruídos naturais fortes como os trovões etc. Agora, aquele que sentimos diante de uma barata é condicionado, por ser esse um bicho inofensivo e não transmitir doenças; pode ser um tanto "nojento", mas isso não é suficiente para que se esteja disposto a enormes sacrifícios ou prejuízos pessoais apenas para não se ver diante de um desses pequenos animais.

Quase todos nós desenvolvemos vários medos derivados de reflexos condicionados ao longo dos anos de formação. É provável que as meninas, mais do que os meninos, tenham aprendido a ter medo de barata porque presenciaram a mãe ou outro adulto significativo em crise de pavor diante dela. Fenômenos desse tipo podem ter se estabelecido na infância e muito provavelmente acabam por interferir nos processos racionais, definindo nossos gostos e preferências para aparentar até mesmo que se trata de escolhas feitas de acordo com o bom senso. **Uma análise mais detalhada poderá mostrar que muitas de nossas decisões podem ter sido tomadas com a finalidade de evitarmos situações de pavor determinadas por medos irracionais que se estabeleceram por processos similares aos descritos na experiência de Pavlov. Seria prudente, à luz dessas observações, revermos muitas de nossas "opções" de vida.**

É muito evidente o antagonismo entre os medos de caráter fóbico, ou seja, os irracionais e não razoáveis, e o trajeto rumo à liberdade que tentamos percorrer. O antagonismo mais imediato é aquele ligado à liberdade de locomoção: são muitos os que restringem suas atividades e seus movimentos pelo medo de viajar de avião, de se verem em lugares altos e abertos, de estar em elevadores, de andar sós pela rua, de dirigir automóveis, de passar por determinados viadutos, de percorrer estradas nas quais já passaram mal etc. **Os temores relacionam-se com freqüência a algumas experiências traumáticas infantis, vividas pela própria pessoa ou por algum adulto que a tenha influenciado. Estes, não raro, se manifestarão só muitos anos depois, quando o fenômeno for desencadeado por algum estado depressivo**

ou traumático determinante de um enfraquecimento agudo da razão.

Medos de natureza fóbica desenvolvidos ao longo da vida podem estar relacionados com outros fatores. Não é o caso, aqui, de esgotar o assunto, que voltará a ser abordado nos próximos capítulos. O objetivo, agora, é sensibilizar o leitor para o tema e sua importância para nossa psicologia. Gostaria — mesmo antecipando o que será mais bem descrito depois — de colocar a seguinte questão, que considero fundamental: se experiências traumáticas de todo tipo podem determinar reflexos condicionados capazes de associar um medo intenso a situações antes neutras — e isso é mais provável de acontecer exatamente quando a razão é menos diferenciada ou está em uma fase pouco eficiente —, o que dizer daquela que talvez seja a experiência mais traumática da vida, o ato de nascer?

O cérebro do feto já está formado no momento do nascimento e quase sem registros, como um computador sem programa. **O único registro presente é, provavelmente, o de uma agradável sensação de harmonia vivenciada durante os tempos uterinos – o "paraíso" descrito no Velho Testamento, mais precisamente no Gênesis. Esse estado corresponde à situação biológica chamada de homeostase, ou seja, de equilíbrio físico máximo. Trata-se de nosso primeiro registro cerebral, o de que está tudo em ordem, tudo em paz. O segundo diz respeito à dramática ruptura desse estado a partir do início do trabalho de parto, seguida de todas as do-**

res relativas ao ato de nascer e às dolorosas sensações que se sucedem. Refiro-me às dolorosas sensações físicas, já que, do ponto de vista psicológico, a situação provavelmente poderia ser descrita como de total perplexidade, além do óbvio pavor estampado no rosto do recém-nascido.

Seria improvável imaginar que uma experiência traumática desse porte não causasse algum tipo de reflexo condicionado em todos nós. Como se trata de um acontecimento inevitável, relacionado com nossa biologia, dele teremos desdobramentos difíceis de ser resolvidos, os quais, de certa forma, farão parte de nossa natureza biológica. É um acontecimento que nos traumatiza, um fato da vida que não está impresso nos genes, mas, ao mesmo tempo, é inexorável, determinando processos psíquicos que podem ser tratados quase como instintivos por causa de seu caráter inevitável. Não é absurdo supor que o primeiro problema associado ao trauma do nascimento corresponda ao crescimento de uma sensação de medo toda vez que nos sentimos próximos de uma situação de paz que lembre a condição inicial da vida intra-uterina, posto que a ela provavelmente associamos a ruptura dolorosa e dramática que aconteceu no momento do parto. Ou seja, se estivermos diante de uma situação parecida com a que vivemos no útero, temeremos o mesmo desenlace, ou seja, uma dramática ruptura. O que acontece? Ficamos em pânico diante da situação considerada agradável, o que, do ponto de vista da fobia, seria o indício de que a tragédia está a caminho. Passamos a ter um medo que, desde 1982, chamo de medo da felicidade. Assim, sempre que estamos muito bem com as novas conquistas, quando temos relacionamentos amorosos que nos fazem felizes, começam a vir pensamentos negativos, temores infundados e, se não nos cuidarmos, ações estabanadas. O estudo minucioso dos processos psíquicos relacionados com a experiência do nascimento será retomado diversas vezes ao longo deste livro.

3 três

OS INSTINTOS E A QUESTÃO DA LIBERDADE

TEMOS DOIS INSTINTOS — SEXO E AMOR — QUE MUITAS VEZES ESTÃO EM OPOSIÇÃO

Os conceitos relacionados com certos aspectos de nossa subjetividade têm sido objeto de minha obstinada reflexão ao longo dos últimos trinta anos. Já os expus várias vezes, e agora gostaria de fazê-lo novamente, movido por um estado de espírito bastante diferente, qual seja, tendo diante de mim uma perspectiva mais otimista e positiva.

Assim como acontece em todos os casos, à medida que fui me aproximando de um nível que me pareceu mais sofisticado e próximo de verdades mais definitivas a respeito de nossa vida afetiva e sexual, fui deparando com obstáculos que, ao menos de início, pareciam intransponíveis. Isso provocou em mim uma sensação negativa, uma tristeza por eu ter sentido que as novas constatações destruíam as idéias anteriores, mais agradáveis, que permitiam antever soluções mais fáceis para nossos dilemas. É verdade que a busca de novos elementos deriva do fato de que tais idéias e hipóteses mais agradáveis já tinham dado sinais de que não levavam a lugar algum, de que eram falsas.

Senti-me obrigado, pois, a abrir mão delas em favor de outras provavelmente mais consistentes, mas que geraram uma sensação ruim, um sabor amargo que certamente contaminou meus textos da época. Aos poucos, pude me sentir menos humilhado, rebaixado, por ter de perceber a pouca importância de nossa condição. A superação desse sentimento negativo implica ter conseguido dar um passo adiante no caminho da efetiva "digestão" da nova forma de pensar, de modo que me senti pronto para incorporá-la e, a partir daí, tentar extrair todos os seus frutos, inclusive aqueles que abrem perspectivas positivas para a construção de nosso futuro.

É possível que o exemplo mais dramático de uma constatação que tenha obrigado o ser humano a mudar totalmente de ponto de vista tenha sido aquela feita por Copérnico, no século XVI, de que a Terra não é o centro do universo. Creio que tal descoberta provocou, em um primeiro instante, uma repercussão psíquica similar àquela de uma catástrofe: destruiu todos os conceitos e referenciais, além de ter implicado um brutal rebaixamento da condição humana, reduzida a uma insignificante gotícula no oceano do cosmo. A emoção derivada do novo conhecimento foi de tristeza e de brutal desconforto diante do fim da estabilidade psíquica que advinha da convicção em pontos de vista aceitos por milênios. Não espanta, pois, que tais idéias — e seus defensores — tenham sido vistas como nefastas, demoníacas mesmo, e que contra elas tenham se insurgido muitos dos espíritos mais sofisticados da época. No entanto, à medida que as pessoas foram conseguindo aceitar com mais serenidade esse reposicionamento cósmico, puderam começar a ponderar os benefícios que acompanhavam a nova concepção, a imaginar a possibilidade de vida em outros planetas e a formular a hipótese de que talvez um dia possamos nos encontrar com outros seres que nos acompanham na aventura de existir. Não é impossível que sejamos capazes de usufruir vantagens obtidas de viagens espaciais aos planetas vizinhos, dos quais extrairemos riquezas para nós escassas. Talvez possamos um dia conhecer melhor as eventuais influências dos outros astros sobre nosso planeta e — por que não? — sobre nossa vida.

O que eu quero transmitir é que o gosto amargo e o pessimismo que acompanham cada nova descoberta derivam basicamente da insegurança que sentimos quando perdemos um paradigma, um pilar sobre o qual apoiamos nosso sistema de pensar. O pilar costuma ser falso, mas determina uma sensação de proteção e aconchego muito agradável. Assim, a novidade sempre vem acompanhada da sensação de tristeza e de aumento de dificuldades, como se a questão estivesse se complicando.

É claro que as pessoas que toleram melhor as dores psíquicas chegam mais depressa a esse novo estágio, o da construção dos desdobramentos positivos e construtivos associados às novas descobertas. Essa maior tolerância é, pois, de grande valia para que consigamos viver melhor, tanto porque enfrentamos com mais docilidade aquelas dores inerentes a nossa condição como porque tendemos a nos tornar mais simpáticos às inovações por não temermos a dor da ruptura com nossas velhas convicções. Podemos viver cada vez mais próximos da realidade e ser mais cautelosos com o uso de nossa capacidade de imaginar. Não é raro que, ao não tolerarmos bem o que nossos olhos nos mostram, devaneemos e imaginemos uma condição mais agradável; isso atenua nosso sofrimento diante daquilo que, mesmo sendo real, nos parece intolerável. O grande perigo é o círculo vicioso que deriva daí, uma vez que, por comparação com o "mundo" imaginado, tido como encantador e gratificante, o mundo real torna-se cada vez mais inaceitável e trágico, o que reforça nossa tendência de nos "refugiarmos" cada vez mais no devaneio.

Tenho me empenhado muito em fazer colocações, derivadas da grande experiência que acumulei como psicoterapeuta, que estejam em sintonia com a realidade tal qual a vejo, ainda que elas soem como inverídicas aos espíritos que preferem o conforto das concepções consagradas. **A separação do sexo e do amor em dois impulsos instintivos distintos, clara para mim desde 1977, não corresponde ao modo de pensar da psicologia do século XX, que vê o fenômeno amoroso como integrado a nossa sexualidade. Considero tal posicionamento um grave equívoco teórico, além de estar em franca oposição com o que observamos na vida cotidiana.**

Melhor será ir direto à descrição sumária de meus pontos de vista. Acredito ser bastante útil separarmos necessidades de desejos quando pensamos em nós tanto do ponto de vista do corpo como da mente. Os termos são simples e de uso costumeiro, mas aqui estou pensando neles de forma muito rigorosa. **Assim, existem necessidades do corpo, como comer, beber, proteger-se contra o frio. A satisfação de tais necessidades corresponde aos processos de autopreservação, ligados à sobrevivência individual e da espécie.**

Há desejos criados por dada sociedade, não raramente refinando necessidades do corpo. É o caso do desejo que podemos sentir de possuir determinado estilo de roupa, que, além de nos proteger, nos faz sentir belos. Podemos desejar nos alimentar de certo tipo de comida cujo paladar nos provoque prazer; estaremos associando o desejo de obter aquela satisfação gustativa com a necessidade que nosso corpo tem de se abastecer de energia por meio do alimento. **Existem desejos também gerados no seio de uma sociedade e que não têm relação com nenhuma necessidade do corpo.** A criatividade humana idealiza e depois fabrica objetos novos que se tornam atraentes pela utilidade e pelas facilidades que podem proporcionar para o melhor andamento de nossa vida. São exemplos o carro, o telefone e o computador, entre tantos outros.

Existem desejos que não precisam ser criados nem sequer estimulados por dada cultura — estão presentes nas pessoas nascidas em qualquer tipo de organização social. **Os desejos distinguem-se das necessidades pelo fato de que ao não se realizarem geram uma sensação de tristeza e frustração, o que, porém, não tem repercussões perigosas no que diz respeito à so-**

brevivência. Vejamos o caso de uma criança recém-nascida. Ela precisa de todos os cuidados para sobreviver, uma vez que é totalmente dependente. Necessita sobrctudo da mãe — ou de alguém que faça seu papel — para atenuar a sensação de desamparo e até a de desespero que ela experimenta quando se reconhece sozinha. Assim, trata-se de uma relação nascida no domínio da necessidade.

Com o decorrer do tempo, a criança passa a sentir enorme prazer em ficar ao lado da mãe, mesmo quando não necessita mais de seus cuidados. Isso também acontece com a mãe, que jamais precisou da criança para atender a suas necessidades. Assim, vai se constituindo um prazer autônomo e recíproco ligado à presença daquela criatura especial e única. Essa talvez seja a primeira manifestação do que podemos chamar de instinto do amor, um desejo que surge espontaneamente, ligado ao prazer derivado do estabelecimento de vínculos estáveis com determinadas pessoas que se tornam muito especiais para nós. Certamente, nosso primeiro objeto de amor é nossa mãe. É claro também que nesse caso as necessidades de sobrevivência da criança estão presentes e se mesclam com o desejo de companhia que gera o prazer relacionado com o instinto do amor.

Aos poucos, com o desenvolvimento neurológico e motor da criança, ela vai se tornando cada vez mais independente, capaz de resolver por si mesma suas necessidades básicas de sobrevivência. Nem por isso deixa de estar apegada sentimentalmente à mãe, seu objeto de desejo amoroso. Esse elo só se enfraquece a partir de certa idade e mediante inevitáveis tensões no seio da família, que impulsionam os meninos e as meninas na busca de novos objetos amorosos fora do grupo de origem — e eles surgirão ao longo de toda a vida, para quase todas as pessoas. **Desses elos espera-se sempre o mesmo: reviver a sensação de paz experimentada durante o período de "simbiose" uterina. Assim, amor é paz e sensação de plenitude, condição muito difícil de ser atingida quando se está só.** Como regra, buscamos esse estado estabelecendo um elo com uma pessoa portadora de determinadas peculiaridades capazes de fazer que ela nos pareça especial e única — assim como um dia nossa mãe foi vista por nós.

Tenho a convicção, hoje, de que é possível experimentarmos essa sensação de plenitude. Contudo, trata-se de uma tarefa árdua e bem-sucedida para poucos até agora, mesmo porque poucos são os que percorrem por vontade própria tal caminho. É fato também que essa sensação de harmonia pode ser alcançada por outras formas de integração em conjuntos mais amplos — como se observa em certas práticas religiosas ou na relação que algumas pessoas estabelecem com sua terra e seu povo, por exemplo.

Quero enfatizar meu ponto de vista de achar incorreto o modo de pensar que associa o amor a emoções vibrantes e a uma riqueza de estímulos. Amor é paz, e as palpitações próprias das pessoas apaixonadas têm mais que ver com a incerteza e o medo que se fazem presentes de modo intenso nesse tipo de ligação amorosa. A pessoa que vive a paixão tem medo de que o parceiro perca o interesse por ela ou que não tenha coragem de dar continuidade ao relacionamento assim gratificante por se sentir ameaçado tanto em sua individualidade como em sua integridade. Sim, porque a fusão romântica é vivida como algo tão prazeroso que costuma desencadear o mecanismo do medo da felicidade, ao qual me referirei mais adiante. Portanto, não é adequado pensar que há um arrefecimento amoroso quando as pessoas conseguem vivenciar o relacionamento sem taquicardia, insônia e inapetência, entre outros sintomas típicos da paixão e dos estados de pavor em geral. A paz reinante apenas indica que diminuiu o medo que estava associado ao amor intenso e que agora as pessoas podem viver o amor como ele é, livre desse ingrediente inquietante apreciados por muitos, mas que não é parte do instinto que estou descrevendo.

A criança só se reconhece como um ser independente da mãe no fim do primeiro ano de vida, quando ocorre o nascimento psicológico. A partir daí, ela passa a tentar conhecer seu corpo, colocando partes dele na boca e tocando todo o resto. **Ela descobre que o toque em certas regiões provoca uma sensação agradável, um nervosismo sentido como muito prazeroso, a chamada excitação sexual. Trata-se de uma sensação de desequilíbrio, a qual afasta o organismo do estado de serenidade que é característico do amor. Essa perda do eixo, que acon-**

tece tanto por razões negativas como positivas, corresponde ao desequilíbrio homeostático. A excitação sexual é o desequilíbrio agradável, enquanto a fome, a sede e o frio são exemplos de desequilíbrios sentidos como dolorosos. Obtida pela manipulação das zonas erógenas, a excitação sexual é claramente pessoal, auto-erótica, como de resto todas as manifestações da sexualidade nos primeiros anos de vida. Não existe um objeto de desejo sexual; a criança sente como prazerosa a manipulação feita por ela mesma nela mesma.

O amor manifesta-se de forma interpessoal desde o primeiro momento, e a mãe é o objeto de desejo da criança. Não consigo vê-lo como fenômeno pessoal em momento algum, de modo que considero inconveniente o uso de expressões como "amor por si mesmo". O sexo manifesta-se de maneira pessoal no início da vida e guarda muito dessa peculiaridade ao longo dela. A descoberta da sexualidade se dá em concomitância com a descoberta de si como criatura independente da mãe, de modo que fica, para sempre, associada à constituição da individualidade. **O amor impulsiona as pessoas para o estabelecimento de elos, ao passo que o sexo é o maior defensor da independência e do reconhecimento dos indivíduos como seres únicos.** O sexo, por ser o único desequilíbrio homeostático sentido como prazeroso, é o estímulo físico — que depois poderá se associar a outros impulsos derivados do uso da razão — que mais nos impulsiona para a ação, para o desenvolvimento e para a criatividade em geral.

O instinto sexual, em suas manifestações adultas, está associado aos processos reprodutores necessários à perpetuação da espécie. Sempre esteve sujeito à dramática regulamentação social, de modo que é muito difícil pensarmos no tema de forma não preconceituosa. Por ser o motor da reprodução, que sempre necessitou ser controlada no seio da vida em sociedade, por ser fonte de prazeres individuais e por outras razões de grande complexidade, o sexo acabou se tornando uma manifestação instintiva muito confusa e nebulosa em nossa espécie — apesar da enorme simplicidade de suas manifestações em cada pessoa; nem sempre sabemos o que fazer com nossos desejos. A questão só passou a ser estudada de modo sistemático no século XX, graças aos admiráveis trabalhos pioneiros de Freud, que ousou revelar suas observações em uma época de grande recato. De lá para cá temos tentado, com muita dificuldade, desvendar partes cada vez maiores do mistério que cerca nosso principal instinto.

A descrição sumária que fiz é suficiente para mostrar que existem claros antagonismos entre as manifestações do amor e as da sexualidade: **o amor é paz, sempre interpessoal, enquanto o sexo é excitação, inquietação e fenômeno essencialmente pessoal. Correspondem às duas tendências básicas de nossa condição, uma para a integração e a serenidade e outra para a individualidade e a ação. São responsáveis por muitas das contradições que costumamos vivenciar.** A constatação desse antagonismo pode determinar a sensação, antes descrita, de tristeza e pessimismo, uma vez que talvez pareça que estamos diante de um "beco sem saída". Já sabemos que a essa tendência inicial se seguirá um longo e rico percurso, repleto de novas e atraentes perspectivas.

Temos tentado optar por uma ou outra tendência. Se ficarmos muito voltados para o amor, pode ser que nos sintamos oprimidos e sufocados em nossos desejos de individualidade — que costumam se manifestar sob a forma de desejos sexuais diversos. Caso nossa opção seja uma vida individualista, é possível que nos ressintamos da falta do conforto que advém do elo amoroso. Só estaremos próximos de uma solução mais sofisticada se formos capazes de realizar de forma satisfatória ambas as tendências. **A efetiva solução para o impasse não será um pouco de amor e outro pouco de individualidade, e sim muito dos dois!**

O AMOR, VIVIDO COMO NECESSIDADE, ESCRAVIZA E SE CONTRAPÕE À LIBERDADE

É fundamental entendermos muito bem como operam, em nosso íntimo, os processos relacionados com o instinto do amor. O tema é persistente nos devaneios de homens e mulheres de todas as idades, assim como nas artes. Muitos são os poemas e letras de músicas populares que falam das desgraças amorosas e das dores sofridas por aqueles que perderam seu par. A regra é que os autores sérios tratem do tema com pessimismo, considerando impossível e inviável a plena realização amorosa. Os textos menos valorizados, como os que dão origem às novelas e aos contos de fadas, falam do amor como algo cheio de percalços, mas que desemboca em um final feliz. A maior parte das pessoas acha que são histórias falsas e que existem apenas com o objetivo de alimentar o sonho e as ilusões dos adolescentes. Sempre me impressionou o fato de elas pensarem dessa forma e de os frutos desse sentimento serem mesmo amargos. **Afinal, o anseio amoroso é extremamente simples: visa apenas ao estabelecimento de um vínculo sólido e sereno com outra pessoa, que, hoje, é escolhida para esse papel pelo próprio interessado.** Tenho me empenhado muito, ao longo de quase trinta anos, em entender por que um fato assim simples pode ser tão difícil de realizar na prática. Parto sempre da mesma premissa positiva: a de que, se formos capazes de entender as razões do impedimento, estaremos lançando as bases para sua superação.

A observação do que se dá na prática nos mostra que as pessoas buscam muito insistentemente o estabelecimento de elos amorosos, mas que o fazem em uma direção que poderíamos chamar de complementar. Ou seja, costumamos nos encantar por alguém muito diferente de nós, portador de propriedades que admiramos e não possuímos. **O encantamento se dá entre pessoas distintas quanto a aspectos essenciais, uma vez que somos todos diferentes. Quando me refiro a diferenças, falo principalmente daquelas que se manifestam no caráter e em outros aspectos básicos relacionados com o humor, com a tolerância às dores da vida, com o nível de educação etc.** É fácil percebermos que a presença de diferenças geradoras da recíproca admiração que desencadeia o encantamento amoroso subentende um juízo negativo que cada pessoa está fazendo de si mesma, de modo a achar muito mais interessante o jeito de ser do outro. Esse fato conduz a questão para o domínio da inveja, pois é raro que a admiração por aquele que possui tudo que gostaríamos de ter não desemboque nesse sentimento. **A admiração dá origem ao amor e à inveja, com predominância desta última quando as diferenças entre as pessoas envolvidas são marcantes.**

Não existe a menor possibilidade de uma relação rica nesses elementos ser respeitosa e delicada. As brigas são freqüentes e o simples convívio com alguém que invejamos determina crescente rebaixamento da auto-estima, enfraquecida também pelos ataques invejosos do parceiro e por procedimentos repressores e controladores derivados de uma possessividade que não pode deixar de existir, visto que é muito difícil confiarmos em pessoas muito diferentes de nós. A dependência recíproca torna-se cada vez maior e ultrapassa as fronteiras da dependência emocional própria do amor. Pessoas enfraquecidas necessitam de companhia e não podem se imaginar sozinhas nem por um minuto, desenvolvendo uma dependência similar àquela que o bebê experimenta em relação à mãe. Esse é um dos perigos do amor, pois sua versão adulta deveria conter basicamente o desejo de companhia e não a necessidade — sabemos que o recém-nascido sente prazer e precisa da mãe ao mesmo tempo. **Quando estamos no domínio da necessidade, não há como respeitar os direitos do parceiro, que parece ter vindo ao mundo apenas para nos servir e nos salvar de sofrimentos, satisfazendo todas as nossas carências. Observado por esse ângulo, o relacionamento amoroso mais comum só pode ser entendido como uma grande desgraça, uma espécie de escravidão, algo a ser evitado a qualquer custo.**

Nos anos que sucederam à revolução sexual da década de 1960, muitos casais se separaram por causa desse tipo de relacionamento possessivo e repleto de brigas, que surgiam, inevitavelmente, tanto da inveja recíproca como das diferenças de temperamento. Uma pessoa via-se escravizada pelo parceiro e isso a conduzia a uma frustração que muitas vezes desembocava em um novo envolvimento amoroso, que, ao menos inicialmente, era vivido em paralelo com o antigo e gerava a sensação de opressão. Ela fazia a comparação entre os dois relacionamentos de forma ingênua, de modo que o amante parecia proporcionar muito mais intimidade e muito menos repressão. Os que se separaram e foram viver com seu novo amor aprenderam coisas interessantes a respeito de si mesmos: mais ou menos rapidamente tenderam a reproduzir relacionamentos exigentes e possessivos similares àqueles dos quais tentaram escapar. Os aspectos possessivos não se manifestavam desde o início do relacionamento entre os amantes porque a resolução das necessidades ainda estava vinculada ao antigo par. Podiam pensar que o problema residia no parceiro e subestimavam a própria imaturidade emocional. Projetar os problemas para fora de nós pode aliviar a tendência depressiva que experimentamos ao constatarmos nossos limites. No entanto, se a meta for a evolução pessoal, tal postura não tem serventia alguma.

Ao deixarmos de lado as saídas ingênuas como as que foram tentadas nas décadas passadas, poderá parecer que a conclusão que se impõe é a de que o antagonismo entre amor e liberdade é um fato definitivo e irremovível. Se fosse verdade que o elo amoroso exige renúncia daquilo que somos e do que pensamos e caso a liberdade implique coerência entre ação e convicção, estaríamos diante de um problema sem solução. Muitos pensam assim, mesmo nos dias de hoje, talvez porque só tenham experimentado esse tipo de ligação amorosa, a que se estabelece entre opostos, que é, de longe, a mais comum, mas não a única.

Acredito que seja essencial determinado grau de desenvolvimento interior para que uma pessoa possa viver o amor como desejo e não como necessidade. Nesse último caso, o caráter opressivo e escravizante do amor impõe-se e se manifesta de forma dramática. O desenvolvimento interior necessário a uma nova visão do amor depende da conquista da capacidade de ficarmos razoavelmente bem sozinhos, suportando a condição de desamparo. Sentimo-nos desamparados tanto por conta de nossas vivências infantis como pelo que observamos ao longo de nossa formação. A condição infantil é de desproteção total e a criança depende de terceiros para tudo que necessita. Qualquer falha no atendimento de nossos anseios, o que é inevitável, determina o surgimento imediato da dolorosa sensação de desamparo, quando não de desespero.

Durante a formação de nossa racionalidade, percebemos que fomos abandonados ao destino também pelas divindades. Assim, ao desamparo físico próprio da infância soma-se o de natureza metafísica, fruto de nossa total ignorância acerca da origem de nossa existência: não sabemos de onde viemos, para onde vamos nem qual o objetivo de nossa existência. Somos cercados por um enorme mistério ao qual teremos de aprender a nos submeter com dignidade e humildade.

Como não toleramos bem a sensação de desamparo, buscamos atenuantes a ela. A presença constante de pessoas que nos sejam significativas do ponto de vista afetivo é importante atenuador. Quando não suportamos a condição de desamparo, tendemos a fazer qualquer tipo de sacrifício para ter um parceiro e costumamos desejar o convívio com ele mesmo que isso implique grande renúncia a nossos legítimos direitos. Nesse caso, grudamo-nos uns aos outros sem muito critério e discriminação, apenas para evitar o sofrimento maior. Aceitamos a dor "menor" da perda da identidade para nos sentirmos mais amparados. **Por não suportarmos a solidão, podemos nos tornar cada vez mais dependentes de parceiros inadequados, em relação aos quais desenvolveremos hostilidade ainda maior, revoltando-nos contra nossa dependência.**

Existem outros meios de as pessoas tentarem fugir da dor do desamparo, especialmente daquele que deriva do desconhecimento que temos acerca de nossa condição cósmica. Quase todos fugimos, cada um a seu modo: uns se atolam no trabalho; outros, nas drogas; outros, ainda, em alguma fé religiosa abraçada de forma pouco crítica, ou, então, em algum tipo de utopia messiânica capaz de dar sentido e importância à vida. Pessoas com mais capacidade de dar de si tendem a se tornar generosas, buscando com isso atrair a proximidade daqueles mais egoístas, beneficiários das doações, que, como regra, tendem a ser simpáticos e sedutores com o mesmo intuito de terem pessoas a sua volta. Fazemos de tudo, até compomos alianças amorosas com pessoas antagônicas, sempre com um único objetivo: não experimentarmos a dor do desamparo, não ficarmos sozinhos por mais do que alguns instantes.

Acontece que o desamparo corresponde a um estado verdadeiro, é uma propriedade da condição humana que deriva da consciência que temos de nossa posição diante do universo. Lamentavelmente, toda a nossa energia psíquica tem sido usada para negar a verdade e não para que se criem as condições íntimas necessárias para sua superação — o que, em uma primeira fase, pode implicar apenas a capacidade de atenuá-la a ponto de podermos conviver com o que é real. Nosso procedimento mais comum ao depararmos com alguma situação muito dolorosa consiste em negarmos sua existência ou em buscarmos remédios sintomáticos competentes para determinar um alívio imediato, mas que em longo prazo só aumentarão o problema.

Aqueles que conseguirem conviver com a verdade levarão enorme vantagem, uma vez que ficarão bem consigo mesmos. Ou seja, deixarão de perceber a solidão como condição catastrófica. Poderão gostar muito de ficar parte do tempo sozinhos e preferir viver de forma individual. É cada vez mais forte minha convicção de que devemos ser mais competentes para encontrar alguma serenidade independentemente da presença de outras pessoas, porque isso corresponde à evolução necessária para o estabelecimento de relações amorosas de melhor qualidade.

Com esse aprendizado na direção da auto-suficiência, poderemos vivenciar nossa condição de desamparo de forma menos dolorosa. Talvez possamos mesmo aprender a "curtir" esse estado de incerteza que nos caracteriza e sejamos capazes de compreender que não é impossível que isso faça a vida mais atraente e até mais emocionante. **Se soubéssemos tudo sobre nossa origem e nosso futuro, possivelmente viveríamos mergulhados em profundo tédio e inércia. A emoção deriva da incerteza; isso vale para a vida como um todo e para um simples jogo de futebol, bem menos interessante se já conhecêssemos de antemão o resultado.** Aqui, como em tantas outras condições, à medida que conseguimos "digerir" a dor correspondente a uma constatação vivenciada inicialmente como negativa, passamos a enxergar a outra face da moeda. Percebemos que existe um aspecto fascinante no ato de viver, que está em completa sintonia com a condição de desamparo e de incerteza que nos caracteriza.

É como se a vida fosse semelhante a uma corrida de obstáculos. Não faz o menor sentido pararmos diante de cada um deles e ficarmos especulando acerca de como seria a vida se eles não existissem. O que realmente importa é nos armarmos da força necessária para ultrapassá-los. Reforço meu ponto de vista de que grande parte dessa força resulta das conclusões que extraímos da análise minuciosa das condições reais do obstáculo e de não subestimarmos os avanços interiores que teremos de fazer para estarmos em condições de passar por ele. Quando isso acontecer, entraremos em uma fase rica em novas constatações, que determinarão uma evolução importante. Se continuarmos a caminhar, chegaremos ao próximo obstáculo, que seguramente existirá. Essa é a vida. Essa é a graça da vida!

O AMOR, VIVIDO COMO DESEJO, É UMA EXPERIÊNCIA RARA E RICA QUE EM NADA SE OPÕE À LIBERDADE

Cada vez fica mais clara, a meus olhos, a idéia de que a adequada aceitação de nossa condição de desamparo é essencial para que possamos avançar na direção da liberdade. Teremos de aprender a conviver com essa dor brutal que deriva de nos reconhecermos frágeis e desprotegidos. Durante os primeiros anos de vida, a sensação de desamparo atenuava-se com a presença da mãe — nosso objeto de amor, que resolvia nossas necessidades práticas ligadas à sobrevivência, para as quais estávamos totalmente desequipados. Além de aprendermos a resolver nossas necessidades pelos próprios meios — o que não acontece nem mesmo na fase adulta para um grande número de pessoas —, ainda precisamos aprender a conviver com a sensação de vazio, com um "buraco" que insiste em ocupar a região do estômago sempre que estamos sozinhos.

Se não nos precipitarmos indo atrás de uma companhia qualquer, poderemos perceber que a sensação dolorosa tenderá a se atenuar com o passar dos dias e das semanas. O desespero que acompanha os primeiros momentos do desamparo – e que pode originar-se do pânico que sentimos quando, ainda bebês, não fomos atendidos com presteza – tenderá a desaparecer, uma vez que está associado à situação de transição. A ruptura de um elo afetivo determina uma dor aguda que não deve ser encarada como definitiva, como própria do estar só. Ela se dá apenas durante a transição, de modo que deverá se atenuar com o passar do tempo. Aí, sim, depararemos com a dor do desamparo, bem menos desesperadora, apesar de corresponder a um sofrimento intenso. **Se formos capazes de tolerar nosso "buraco" e aprender a conviver com ele, estaremos caminhando rumo a uma sensação agradável derivada de nos sentirmos fortes.** Nossa auto-estima estará engrandecida; teremos razões de sobra para sentirmos aquele orgulho íntimo tão prazeroso! Sentiremo-nos livres, pois desaparecerá a sensação de necessitarmos de pessoas mesmo para questões relacionadas com os aspectos de ordem sentimental. O temor que temos de perder o afeto das pessoas se atenuará muito, pois seremos capazes de ficar sós. Desaparecerá também a necessidade de estabelecermos elos amorosos de qualquer tipo e a qualquer preço, condição que costuma nos levar a relacionamentos opressores e escravizantes.

Assim, podemos dizer que o desenvolvimento emocional associado à capacidade de a pessoa conseguir tolerar a dor do desamparo por meios próprios cria condições para que os seres humanos possam viver sozinhos. Infelizmente, são poucos os que atingem esse estado de evolução emocional, até porque nosso sistema educacional não estimula o crescimento visando à independência. Dentre os poucos que poderiam viver sozinhos, a grande maioria prefere ter relacionamentos amorosos em virtude desse desejo persistente — presente em todos nós desde nossas primeiras vivências — que tenho chamado de instinto do amor. As pessoas tratam de encontrar um parceiro não por necessidade, mas porque acham prazeroso e apaziguante conviver intimamente com outra pessoa. É claro que, nessas condições, o parceiro poderá ser escolhido com calma e de forma muito mais criteriosa. Quem puder resolver por si todas as suas necessidades, tanto as objetivas como as subjetivas, tenderá a buscar no outro, antes de tudo, o prazer da companhia capaz de levá-lo a um estado de plenitude e êxtase maior do que aquele que consegue por si mesmo, condição que ameniza ainda mais a já suportável sensação de desamparo.

O parceiro não será escolhido por ter as propriedades que não reconhecemos em nós mesmos, pois o objetivo não é usá-lo para a resolução de necessidades de qualquer natureza. **O que nos falta deverá ser buscado em nós mesmos e não no outro, que existirá não para nos salvar nem para resolver nossos problemas, mas sim como fonte de prazer, e que será escolhido segundo critérios similares aos que usamos na escolha dos amigos.** Assim, acontecerá a inversão do tradicional critério de escolha do par amoroso, caracterizado pela busca de opostos que nos completarão. Tenderemos a escolher o parceiro segundo as afinidades, com quem nos daremos muito melhor e que permitirá um encaixe muito mais intenso, vivido como uma fusão, como se, de fato, os dois corpos se tornassem um só. Estaremos, pois, realizando o sonho romântico que povoou nossa imaginação e enriqueceu nossas fantasias. Nós, que somos criaturas incompletas, sentindo-nos como uma fração — a sensação de incompletude manifesta-se por meio do "buraco" que nos acompanha nos períodos de solidão —, passamos a nos ver inteiros por meio da fusão com nossa "metade", em tudo muito parecida conosco. É como se nos encontrássemos e nos complementamos por intermédio do elo que estabelecemos com nossa "alma gêmea". Quem vivenciou esse tipo de relacionamento pode atestar a extraordinária satisfação que ele provoca. **Fica claro também que é perfeitamente possível que duas pessoas vivam em concórdia, respeitando-se e tendo enorme e crescente prazer com a presença do amado.**

De repente, aquilo que parecia apenas devaneio, corresponde a uma vivência possível.

Um relacionamento assim gratificante não pode deixar de fazer muito bem à auto-estima de quem o vivencia. As pessoas tornam-se mais autoconfiantes e mais otimistas em relação às possibilidades de serem felizes. É verdade que se estabelece uma dependência grande do amado, porém de natureza puramente sentimental, de modo que bastará um pouco de atenção e cuidado com o outro para que ela não resulte na tendência usual a ações voltadas para a limitação da liberdade do amado.

O elo amoroso que se estabelece entre criaturas mais evoluídas emocionalmente não pode implicar grandes limitações aos direitos humanos, uma vez que elas serão sentidas como insuportáveis. Se tiverem de escolher entre o amor e a liberdade, as pessoas mais amadurecidas optarão pela última. Evidentemente, o ideal é ter os dois, uma possibilidade real. Sempre existirão divergências de opinião; elas serão discutidas de modo exaustivo, com um único objetivo: avançar na direção da verdade e chegar a alguma solução operacional aceitável para ambos.

A felicidade sentimental não é, pois, utopia. Casais que vivem em clima de ternura e companheirismo, sem brigas banais e tratando de modo respeitoso as divergências, existem e sempre existirão. É verdade que são poucos, justamente porque é necessária uma evolução interior para que se possa atingir um nível de maturidade que permita um padrão assim sofisticado de relacionamento. A maioria se distrai buscando os defeitos de seus parceiros ou atribuindo às peculiaridades das uniões estáveis — por exemplo, o casamento — os problemas que são a causa do sofrimento íntimo. Precisamos aprender a apontar o dedo mais para nós mesmos do que para os outros. É essencial conhecermos nossos defeitos e limitações para que possamos progredir. De nada adianta sabermos tudo sobre os outros se continuarmos ignorantes a respeito de nós mesmos.

Se é possível um relacionamento amoroso gratificante e rico, a mim soa lógico que o busquemos com afinco. Se algo tão bom existe, é claro que desejo o mesmo para mim. Quem não ansiará por um tipo de ligação afetiva sólida, estável, de intensidade crescente — e não decrescente, como costumam ser as ligações entre opostos? Com o passar dos anos, os dois construíram uma importante história em comum, estiveram juntos em tantos lugares lindos e enfrentaram tantas situações difíceis que só podem ter a sensação de que a união tende a ser definitiva. Não existe a inveja, já que as semelhanças predominam; aquilo que um tem o outro também possui. O medo de perder o amado é mínimo, de modo que a possessividade e o ciúme são insignificantes. Apesar da intensidade do sentimento e da dependência emocional, a liberdade individual tende a aumentar justamente porque a insegurança e as incertezas relacionadas com o futuro do relacionamento são mínimas. Além disso, pessoas que realmente amam querem o melhor para o amado; portanto, seria inaceitável impor restrições que viessem a prejudicar sua expansão e a realização de todas as suas potencialidades.

Sem dúvida, nos relacionamentos assim intensos surgem sentimentos possessivos que são próprios da natureza do instinto do amor e que estão relacionados com sua origem. O bebê, por exemplo, dependente física e emocionalmente da mãe, não suporta dividi-la com ninguém. Só que somos adultos, e, mesmo que vivenciemos o impulso amoroso de modo similar ao das crianças, devemos nos opor a qualquer tipo de manifestação ciumenta, particularmente àquelas que, em nome do amor, nos dão o direito de impedir o livre trânsito do amado. **Insisto em que a sensação de segurança que um relacionamento de boa qualidade com pessoa parecida conosco — e que, portanto, terá valores morais semelhantes aos nossos — pode gerar em nós deveria ser usada como algo que nos desse força para contermos a tendência possessiva infantil.**

Aqueles que tiveram coragem de mergulhar para valer na experiência da fusão romântica e vivenciaram intensamente a dependência emocional que ela determina passaram a ter uma sensação íntima muito boa. Eles se reconheceram como criaturas corajosas, que não fugiram em decorrência do medo brutal que a aventura amorosa causa. **Sentiram-se vencedores, porque tiveram a ousadia — rara — de mergulhar, na vida real, em algo que a maioria só consegue na fantasia.** Sentiram-se também muito fortes, mais seguros de si; passaram a ter a sensação de que superaram um dos maiores obstáculos da vida: reexperimentar algo muito parecido com o retorno à dependência absoluta, que corresponde ao início da existência uterina. Ao vivenciarem a mais absoluta dependência, ganharam uma força interior ainda maior, que lhes provocou enorme impulso na direção da liberdade e da independência. **É como se o amor vivido assim intensamente os curasse, ao menos em parte, do mal do amor. É da coragem de viver a dependência — pela interação com um parceiro que vive exatamente a mesma situação — que cresce a independência!**

Assim, parece que existe um roteiro a ser seguido por aqueles que anseiam atingir uma vida afetiva rica e ao mesmo tempo não exageradamente limitadora da liberdade individual. Sim, porque, além de evoluirmos suficientemente para podermos nos ligar a pessoas semelhantes e não opostas a nós — e das quais sentiremos muito mais ciúme, até porque não entenderemos como funciona sua mente —, ainda teremos de ousar o mergulho da dependência total, condição na qual aprenderemos a valorizar ainda mais nossa individualidade. A experiência da fusão romântica é um dos caminhos pelos quais nos conscientizamos de que nos sentimos uma fração, incompletos mesmo, mas que somos uma unidade. Isso nos leva a superar o sonho romântico da fusão, cuja plena realização nos ensina que, não sendo verdadeira a sensação de que somos uma metade em busca de outra, o amor menos possessivo e mais completo que pode existir entre duas pessoas ainda não é esse. **Há algo mais que corresponde à aproximação de dois seres que se sabem inteiros. O sonho amoroso que está nascendo, e que é mais compatível com os anseios liber-**

tários próprios da modernidade, depende de conseguirmos evoluir mais em nossa individualidade, de nos reconhecermos definitivamente como criaturas inteiras, tendo no parceiro um companheiro de viagem e não alguém que nos salvará. Do amado podemos esperar coisas parecidas com aquelas que esperamos de um verdadeiro amigo. Tudo isso banhado no prazer erótico que envolve as relações íntimas entre as pessoas. A esse amor, mais adulto e de qualidade ainda melhor do que o da fusão, muito parecido com a amizade, tenho chamado "mais que amor" ou "+amor".

Quem estiver pronto para viver uma relação amorosa assim sofisticada e livre — porque não existe lugar para ações possessivas e ciumentas em um relacionamento desse nível — também pode optar por viver só. É possível até considerar a hipótese de que esse seria o último e definitivo estágio evolutivo do ser humano. Minha posição já foi mais definitiva na defesa do amor como o modo de vida mais rico e completo. **Hoje penso que existem modos variados de existir e que um indivíduo pode preferir viver sozinho em certos períodos da vida adulta e a dois em outros.** A verdade é uma só: pessoas que chegam perto de completar o ciclo evolutivo vivem juntas ou sozinhas de forma muito parecida, porque criaturas semelhantes e respeitosas que estão juntas fazem tudo que querem fazer e atribuem a seu par direitos iguais. Ter por perto uma companhia agradável e estimulante poderá parecer mais atraente para muitos, enquanto para outros o mais fascinante será não ter de pensar em ninguém antes de decidir como passará seu tempo livre.

O AMOR TAMBÉM SE MANIFESTA SOB A FORMA DE UMA TENDÊNCIA À INTEGRAÇÃO EM GRUPOS

O amor corresponde ao sentimento que uma pessoa nutre por outra cuja presença determina a agradável sensação de proteção similar à provocada originalmente pela presença de sua mãe. Durante a infância, esse sentimento pode ser classificado como uma necessidade, até porque a mãe que a aconchega também a nutre e a protege contra perigos da vida. Apesar de o amor manter, na fase adulta, muitas das características próprias do período infantil, ele não deixa de ser quase uma brincadeira; nós "fazemos de conta" que não podemos viver sem o amado. **O discurso amoroso adulto, que relata como o amado é indispensável e vital, corresponde a uma representação metafórica daquilo que, nos primeiros anos de vida, seria uma verdade.** O bebê morrerá sem a mãe e o adulto não morrerá se for abandonado pelo amado. O fato é que durante os anos da maturidade sentimos com muita força a dor do desamparo, de nos reconhecermos perdidos e desprotegidos no meio de um planeta imprevisível e não raramente adverso. **A sensação de conforto que advém do amor atenua sensivelmente a dor do desamparo, mas não é vital.**

O amor torna-se verdadeiramente necessário para as pessoas que usam o fato de serem amadas para auferir vantagens, obter proteção e facilidades que não conseguiriam gerar por si mesmas. As mais imaturas emocionalmente e egoístas valem-se da disponibilidade de amar das mais generosas para obter o que não conseguem por meios próprios. As mais generosas são movidas, na maioria das vezes, por intensa vaidade que lhes faz sentir superiores ao serem assim úteis. Aquelas que se tornarem "viciadas" nesse tipo de prazer poderão se tornar dependentes e viver a relação amorosa, estabelecida com seu oposto, como uma necessidade, como um elo indispensável. Insisto em que o amor só é necessidade para quem tiver dificuldade de enfrentar a dor do desamparo.

Todos nós nos sentimos incompletos quando nos vemos sozinhos. Buscamos os vínculos amorosos porque são fonte de prazer, proteção, e ajudam a disfarçar a sensação de incompletude — ou seja, a consciência de que somos desamparados. Muitos poderão buscar outras formas de atuar essa dor, outras soluções que não a do estabelecimento do vínculo dual. Poderão mesmo aprender a conviver com a "incompletude" sem tentar atenuá-la por outras vias, e não é impossível que encontrem um meio mais estável e definitivo para lidar com a sensação de que algo lhes está faltando. **Certas peculiaridades da história de vida podem influir na escolha do caminho de viver só, de enfrentar a solidão e aprender a lidar bem com ela** — o simples uso da palavra costuma nos provocar medo indevido. **As pessoas oriundas de núcleos familiares muito aconchegantes em geral desenvolvem pouca disposição para sair em busca de novos elos. Outras optam por ficar sozinhas pela razão inversa: dra-**

máticas rupturas durante os primeiros anos de vida podem torná-las pouco dispostas para a construção de novos vínculos. O fato de não acontecer um encontro amoroso de acordo com suas expectativas poderá criar condições favoráveis para a perpetuação da solidão, uma vez que se acostumam com as vantagens práticas de não ter de compartilhar espaços e pontos de vista.

De todo modo, vale registrar que é crescente o número de pessoas que optam por viver sós, que procuram elos mais frouxos envolvendo apenas o convívio nas horas de lazer. Elas podem ter desenvolvido uma postura mais individualista diante da vida ou, então, buscaram o conforto por outra via, a respeito da qual eu gostaria de fazer algumas considerações. **O instinto do amor pode, por caminhos que não sou capaz de mapear completamente, ganhar um desdobramento interessante, que foi chamado por Arthur Koestler de "tendência integrativa do ser humano", a qual estaria em franca oposição a outra na direção da individuação, que é a tendência reforçada por nosso instinto sexual.** Já a integração corresponderia a uma generalização do instinto do amor para nos sentirmos integrados a grupos de pessoas e não a um único ser humano.

Nossa sensação de abandono e desamparo se atenua quando nos sentimos parte de um todo que nos contém. **Gostamos muito de estar integrados a um grupo, apesar do franco antagonismo entre esse estado e o anseio de independência, individualidade e destaque advindo de nossa sexualidade.** Ao nos diluirmos em um grupo, perdemos a identidade, somos apenas uma peça em uma engrenagem, o que, em geral, tende a ser muito ofensivo a nossa vaidade. Como regra, detestamos ser apenas um número, uma peça sem identidade. No entanto, em determinadas situações, a sensação oposta — de despersonalização associada à integração — é a que mais nos atrai. Esse é mais um exemplo que elucida nossa dupla tendência e suas oposições: queremos ser o "fulano de tal", destacado e reconhecido como indivíduo único e especial, ao mesmo tempo que em outro momento gostamos de ser apenas mais um brasileiro.

É provável que possamos relacionar o predomínio e a manifestação de uma ou outra de nossas tendências ao contexto em que nos encontramos. Ao nos sentirmos mais seguros, desejamos o destaque e a identidade pessoal acima de tudo. Quando nos percebemos mais fracos e inseguros, sentimo-nos mais desamparados, de modo que passamos a preferir a integração, pois ela nos traz maior proteção. O fenômeno é similar ao que observamos nas crianças: quando seguras, afastam-se da mãe e procuram aventuras pessoais; se levam um tombo ou se sentem ameaçadas por qualquer evento desconhecido, correm para o colo dela. Em situações de aperto e dificuldade, preferimos ser parte de um todo maior. Nas horas de calmaria, ao contrário, buscamos o destaque individual.

As pessoas que vivem inseguras e sem o mínimo de serenidade consigo mesmas são as que mais necessitam da vida em grupo, procurando companhia o tempo todo e não suportando ficar sós por muito tempo. São extremamente dependentes da aprovação de seus pares e respeitam todos os padrões sociais vigentes. O curioso é que o fazem de forma disfarçada, tentando dar a impressão de que são muito independentes. São sociáveis e extrovertidas, aparentam auto-suficiência, mas na verdade estão sempre na dependência das outras pessoas tanto para entretê-las como para resolver suas necessidades práticas. Os que conseguem ficar melhor sozinhos não necessitam da integração grupal, o que não quer dizer que não a desejem, que não sintam prazer em fazer parte de um todo maior. Aqui — da mesma maneira que no amor — há uma diferença fundamental entre a necessidade da vida em sociedade e o desejo de integração que existe em todos nós em determinadas condições.

A tendência integrativa manifesta-se em nosso prazer ao fazermos parte de uma turma de amigos, quando somos membros de grupos étnicos ou religiosos, quando freqüentamos grupos de estudo ou nos sentimos integrados a nosso ambiente de trabalho, quando torcemos por nosso time em um estádio de futebol e principalmente quando estamos diante de algum tipo de manifestação que envolva nossa pátria. **O amor pela terra em que nascemos, que está na raiz do nacionalismo, é de grande intensidade. Jung chamou a pátria de "Mãe Terra", expressão que mostra que o nacionalismo só tem correspondência com o amor que sentimos por nossa mãe. Nossa pátria é nosso "útero", é onde nos sentimos "em casa", falamos nossa língua, nos alimenta-**

mos de certas comidas que nos fazem integrados em um só grupo, nos encantamos com a música regional, assim como com a bandeira e o hino nacionais. Os símbolos da nacionalidade nos levam às lágrimas nas situações mais banais e piegas. Somos sentimentais tanto em relação à pátria quanto em relação a nossos elos amorosos.

A tendência integrativa pode se manifestar de forma extrema, na qual toda a nossa identidade desaparece a ponto de nem nos apercebermos de sua ausência. Já me referi à condição de guerra, na qual toda uma geração de jovens se dispõe, sem muita crítica, a lutar e a morrer pela "honra" e pela "dignidade" de sua nação, supostamente ameaçada por um povo vizinho — mesmo que seja esse o discurso das autoridades para seduzir os cidadãos. De um ponto do processo integrativo em diante, tudo se passa como se o indivíduo e sua identidade tivessem desaparecido, de modo a ser apenas uma pequena peça de um todo maior, sem medo de morrer nem dúvida acerca do ato de matar, sem opiniões e vontade próprias. Não são raras as pessoas que se inscrevem como voluntárias para "morrer pela pátria"; é claro seu prazer ao se sentirem idênticas a seus pares pelo uso de um uniforme homogeneizador. **De forma geral, o prazer integrativo manifesta-se mais facilmente quando existe algum tipo de obstáculo externo ameaçador. Assim, um inimigo em comum sempre favorece a união dos grupos.**

Uma dramática adversidade que atinja um setor da coletividade tenderá a gerar os mais belos sentimen-

tos nos outros setores. Quando uma enchente ou um terremoto assola determinada região de um país, os habitantes das regiões que não foram afetadas imediatamente se organizam e providenciam a ajuda material e moral necessária para os que foram lesados pela intempérie. A solidariedade é muito mais fácil quando fatores adversos causam sofrimento a terceiros; não existem aí os tradicionais elementos invejosos que podem perturbar nossa capacidade de revelar carinho. Assim, a energia coletiva que passa a existir quando uma parte ou o todo está sob ameaça pode ter um caráter destrutivo ou construtivo. Ainda não dominamos muito bem os caminhos que podem levar um grupo a ter posturas cooperativas e construtivas mesmo na ausência de oponentes; a questão é um tanto teórica, uma vez que quase sempre um grupo — de trabalho, esportivo, político — tem adversários contra os quais terá de lutar. **O mais grave é que, logo que a disputa termina e um grupo sai vitorioso, imediatamente as características individuais passam a predominar; então, cada pessoa tenta tomar para si uma fração maior dos méritos do sucesso. Reinicia-se, pois, a luta individual dentro do grupo, forte fator desarticulador deste último e gerador de futuras derrotas.**

É notório que as pessoas mais amadurecidas desenvolverão melhores relações grupais, com predomínio dos ingredientes de cooperação, que, além de tudo, estão em franca sintonia com o que a razão nos mostra: grupos harmoniosos têm maior chance de sucesso e de nada adianta querermos nos destacar em um grupo gerando desarmonia e, portanto, maior chance de insucesso. Não é que os mais evoluídos tenham perdido sua individualidade. Ao contrário, é provável que a tenham até mais desenvolvida do que os que desfilam como tais, mas que são dependentes mesmo para as questões de ordem prática. O individualismo surgirá em condições próprias e não em circunstâncias nocivas ao bem comum. As pessoas mais cooperativas sabem se postar melhor em grupo, sabem que cada um terá um papel a desempenhar e que o bom resultado dependerá da atitude do grupo como um todo. Não imaginam que poderão desenvolver posições messiânicas — aquelas que levam as pessoas a achar que sozinhas resolverão tudo e darão conta de vencer qualquer adversidade. Essas observações valem tanto para grupos pequenos como para as atividades políticas, já que a evolução de um país depende da ação construtiva de um sem-número de pessoas, inclusive de nós.

Se evoluirmos um pouco mais e formos além das fronteiras da integração grupal mais imediata — a do nacionalismo, por exemplo —, poderemos vivenciar um sentimento de integração com toda a espécie humana, com o nosso planeta e até com o todo, com o mistério que nos cerca, com o universo. **Nós nos sentiremos parte do todo, partícula ínfima do universo, de modo que experimentaremos a sensação de conforto própria do amor e da integração grupal.** Estaremos nos sentindo aconchegados por tudo que nos cerca e vivenciando aquela que talvez seja a experiência mística por excelência: a do amor universal. É possível que a sensação de integração assim completa seja em tudo similar ao que vivenciamos durante nossa vida intra-uterina e também que as experiências de relaxamento e meditação propostas pelas doutrinas orientais correspondam a um esforço para que paremos de pensar nas coisas que nos cercam e experimentar, de novo, por meio do silêncio interior, a plena integração cósmica que vivenciamos antes de nascer.

É por essa via que, a meu ver, o amor se insere como parte essencial da experiência religiosa, visto que toda sensação de conforto e integração é parte do instinto do amor. Nossa visão da vida se altera muito ante essa perspectiva e talvez o nacionalismo nos pareça um sentimento menor diante do amor por todo o universo e não apenas pelo pedaço de terra que constitui nosso país. Pode ser que isso nos permita, um dia, defender nosso país de modo menos fanático e que essa visão global nos leve ao fim das guerras e ao predomínio dos fatores construtivos que emanam da tendência integrativa. Talvez a palavra "solidariedade" possa vir a ser usada com mais freqüência do que nos dias de hoje, livre de fronteiras e de regionalismos.

A SEPARAÇÃO ENTRE SEXO E REPRODUÇÃO DEU INÍCIO A UMA REVOLUÇÃO NOS COSTUMES MILENARES

Venho tentando cada vez mais alicerçar minhas reflexões no terreno sólido dos fatos, deixando de lado as conclusões que derivam de processos psíquicos de natureza dedutiva. Ou seja, tenho desenvolvido um temor crescente pelo mundo das idéias, porque penso que nele residem muitos dos anseios humanos que não estão obrigatoriamente associados ao que é possível e real. Acredito que temos forte tendência de observar os fatos relacionados com o que somos e com aquilo que nos cerca e não gostar muito deles. Isso nos provoca enorme irritação e frustração, especialmente quando diz respeito a nossa vida interior — sempre mais singela do que gostaríamos. O que fazemos? **Inventamos virtudes que não possuímos, concepções, sempre grandiosas, acerca de nossa vida social e hipóteses otimistas sobre nossas perspectivas. Não gostamos daquilo que somos e que fomos capazes de produzir até o momento e nos entristecemos com a constatação de que não fomos tão bem "construídos" quanto gostaríamos.**

A busca de salvação costuma passar pela elaboração de alguma hipótese que abra perspectiva positiva e relativamente fácil sobre o que poderemos esperar para nós nas décadas que virão. Os mais jovens, em especial os adolescentes, tendem a acreditar nas belas idéias e se tornam otimistas quanto a seu futuro e ao de seu povo. Com o passar do tempo, são forçados a perceber que aquelas hipóteses positivas não estão se confirmando e que a realidade caminha de acordo com regras que lhe são intrínsecas. Tornam-se pessoas deprimidas, acomodam-se e param de lutar, aceitando de modo conformista a realidade que se opõe a suas convicções. Aceitam viver segundo os fatos e entram em contradição interna, o que não é nada construtivo à auto-estima. **Assim, acreditar em belas idéias que, porém, não correspondem aos fatos só pode gerar forte decepção, matriz das piores causas tanto individuais como sociais. É por caminhos desse tipo que os jovens idealistas se transformam em adultos conservadores e empobrecidos moralmente. Não pode ser de outra forma: toda ilusão — uma bela idéia que não tem paralelo na vida real — só trará como conseqüência a desilusão.**

Se abandonarmos a política de jogar a sujeira para debaixo do tapete e nos apropriarmos de tudo aquilo que registramos como ruim e que nos pertence, talvez tenhamos de passar por um período de depressão. Isso porque é sempre decepcionante depararmos com nossas fraquezas e limitações. Contudo, não há sofrimento que não termine. Com o decorrer do tempo, habituamo-nos à realidade que nos caracteriza e passamos para a fase seguinte, que é a da busca de saídas possíveis para aquilo que gostaríamos de modificar. No mundo real, não existe saída fácil e imediata. Talvez estejamos diante de processos mais demorados e difíceis, mas estes são os caminhos evolutivos possíveis. Ao vislumbrarmos soluções, mesmo aquelas que nos parecem distantes, passamos a viver um estado de genuína alegria, derivado de uma esperança que se renova e que agora está relacionada com possibilidades reais. Precisamos evoluir até aquele ponto que nos levará à efetiva superação dos limites que antes nos restringiam. Não adianta pararmos no ponto em que constatamos a dificuldade, fugirmos da realidade e "inventarmos" alguma solução apenas para atenuar nossa depressão. Esse atalho acaba por determinar um sofrimento maior e a perda da força interior necessária até para a preservação dos valores éticos, que nos faz sentir tão bem.

A análise da questão sexual exige grande esforço de observação realista, uma vez que o tema sempre esteve envolto em diversos modelos de conceitos e hipóteses nem sempre construídos com base nos fatos. Conhecemos pouco sobre nossa sexualidade — que, como já declarei, passou a ser objeto de estudos sistemáticos há muito pouco tempo — e sobre seus desdobramentos sociais. Por meio das hipóteses psicanalíticas e dos estudos antropológicos recentes, aprendemos que a prática sexual sempre esteve sujeita a regulamentação. Deixando de lado considerações menos fáceis de ser demonstradas no mundo real, o fato é que a correlação entre as práticas sexuais e a reprodução deve ter sido um dos fatores determinantes dessa intromissão social em um tema privado. Não é difícil supor que os homens, responsáveis pelo sustento dos filhos, sempre estiveram muito interessados em garantir sua paternidade. Regras que permitiam casamentos com determinados parceiros e não com outros provavelmente estavam de acordo com a preservação da estabilidade do grupo social. A vida em grupo foi uma necessidade prática de nossa espécie, individualmente menos competente para se defender das adversidades do hábitat primitivo. Além disso, de forma mais ou menos rápida, a vida em grupo tornou-se muito conveniente graças à divisão do trabalho, capaz de promover um progresso enorme no caminho da acumulação de riquezas, o que fortaleceu a espécie e permitiu o surgimento de populações cada vez maiores. A vida social também nos interessou em virtude da tendência gregária derivada das manifestações do instinto do amor, além do ingrediente sexual relacionado com a vaidade, que será analisado a seguir.

Assim, a limitação da livre expressão de nosso impulso sexual sempre foi tida como inevitável, como parte indispensável da vida em grupo. Nós, que vivemos em civilização, estaríamos obrigados a conviver com essa frustração de forma definitiva. Isso sempre determinou o surgimento de forte tendência para a transgressão das regras estabelecidas — é incrível como qualquer proibição só faz aumentar o desejo! Creio que algumas pessoas se revoltam de modo mais categórico contra as limitações que lhes são impostas do que outras, que vivenciam suas frustrações de maneira mais conformada. Não é o caso aqui de nos aprofundarmos nessa questão, tampouco nos mecanismos que as sociedades encontram para atenuar a frustração derivada do fato de vivermos limitados no pleno exercício de um desejo assim intenso — exemplos de atenuantes são as festas populares, nas quais as regras tornam-se mais frouxas, como no caso de nosso carnaval, e o surgimento da prostituição em todas as sociedades.

Cabe aqui a hipótese freudiana de que não existe civilização sem a repressão — ainda que parcial — do impulso sexual. É duvidosa a idéia segundo a qual toda a energia utilizada nos processos de evolução social é de natureza sexual, isto é, que a energia sexual impedida de ser exercida pela via direta se transforma na fonte impulsionadora do progresso. A idéia de Freud é que toda energia é de natureza sexual, não existindo, portanto, uma motivação própria da razão — com o que não concordo. Para mim, a energia sexual interage com o meio social e constitui uma fonte geradora dos processos criativos e da produção intelectual. Existe um importante ingrediente sexual — claramente erótico — em todas as nossas motivações relacionado com a vaidade. Entretanto, nossa razão é fonte de uma energia própria que deriva do prazer que temos em aprender e em resolver dilemas.

O avanço do conhecimento, a causa e a conseqüência dos progressos da civilização nos permitiram acumular dados acerca da reprodução, culminando com a descoberta dos modernos recursos anticoncepcionais. Ou seja, o avanço da ciência e da tecnologia atingiu o ponto capaz de gerar a pílula anticoncepcional, recurso de uso e controle femininos. A possibilidade de separar o sexo da reprodução — que redundou desse fato e não das teorias libertárias sobre nossa vida sexual que surgiram a partir da década de 1920 — corresponde a uma mudança cujos desdobramentos merecem profunda reflexão. Essa interferência em nossa biologia tem determinado uma alteração nos destinos de nossa espécie. A condição da mulher jamais será a mesma e o equilíbrio das relações entre os sexos alterou-se de modo definitivo. Estamos diante de mudanças nos alicerces de nossa civilização que delimitarão alterações irreversíveis em nossa forma de ser e de viver. **Deveríamos tentar entender melhor quais serão os desdobramentos dessas e de outras conquistas e suas possibilidades construtivas e destrutivas. Deveríamos tomar as rédeas do processo e não continuar a reboque dos fatos — como tem acontecido até aqui, visto que estamos sempre pensando em como as coisas poderiam ser, em vez de nos ocuparmos mais da realidade.**

Outra postura a ser evitada é supor poder haver alterações nos fatos que nos cercam sem que eles interfiram em nosso modo de viver. **O ser humano influi no ambiente em que vive; como todos os animais, terá de se adaptar a seu hábitat e não poderá deixar de sofrer as conseqüências das modificações que ele mesmo causa.** Assim, é impossível que a descoberta da pílula anticoncepcional não tenha alterado as práticas sexuais. O chamado "tabu da virgindade", tido como parte importante de nossa vida íntima e peça-chave na vida inconsciente, desapareceu em menos de quinze anos! Hoje em dia, escuto moças de 20 anos lamentarem o fato de ainda serem virgens. Os pais, mesmo os mais conservadores, estão se adaptando a esse novo modo de vida, e é cada vez mais comum seus filhos dormirem com o par em casa, com sua anuência.

A separação entre sexo e reprodução abre espaço para a emancipação sexual feminina, para o exercício do desejo — ou, ao menos, da curiosidade — que muitas sentem de experimentar relações sexuais com parceiros variados e não apenas com seu cônjuge, como aconteceu por milênios. A emancipação sexual feminina cria condições para que elas prefiram lutar pela independência econômica e por realização profissional acima mesmo do desejo, que pode ou não existir, de se casarem; podem refletir sobre temas que sempre foram predeterminados, como o da maternidade. Todos esses novos aspectos, por certo, provocaram grande tumulto nos relacionamentos conjugais, de modo que os índices de divórcio só têm aumentado desde 1970. **A pílula anticoncepcional trouxe consigo um aglomerado de novas possibilidades, e todos os valores tradicionais passaram a ser questionados. O resultado foi uma revolução de costumes, em que sempre são cometidos diversos exageros e muitas pessoas saem magoadas, quando não extremamente prejudicadas. As vítimas, muitas vezes inocentes, são presença inevitável em qualquer guerra.**

No caso da revolução sexual, pudemos observar movimentos parecidos com os que aconteceram em casos similares ao longo dos séculos: a desorganização dos costumes tradicionais se inicia de modo tímido, liderada por um pequeno grupo de pessoas ousadas que mais rapidamente se conscientizam das novas perspectivas que estão se abrindo. A regra é que esses precursores sejam artistas e intelectuais de vanguarda. Depois de algum tempo, o fenômeno se generaliza e passa a ser louvado pelos jovens e por todos os que estão em condições objetivas de aderir às novidades. Os que estão comprometidos com os padrões tradicionais costumam se insurgir e se posicionar de forma contrária ao que está acontecendo. É difícil saber quanto agem em defesa de suas posições intelectuais, quanto defendem seu modo de vida já estabelecido e qual o componente de inveja presente em seus argumentos.

Entramos em uma fase de euforia, na qual o novo se manifesta apenas em seus aspectos positivos, construtivos, libertários. É como se agora tudo estivesse bem, uma vez que chegou exatamente a luz que nos faltava. É evidente que muitos excessos são cometidos, em uma tentativa de libertar anseios que estiveram reprimidos por tanto tempo. **Com o passar dos anos, aspectos negativos também se revelam. Por exemplo, as mudanças derivadas do fim do compromisso entre o ato sexual e a reprodução não atenuaram a rivalidade entre os sexos nem impediram o florescimento do consumismo e da competitividade social. Em vez de um afrouxamento de tensões nas relações interpessoais e da valorização das amizades, o que verificamos foi um acirramento da guerra entre homens e mulheres e da competitividade entre pessoas do mesmo sexo.** Os aspectos positivos da revolução sexual também se sustentam ao longo das décadas; estão relacionados com maior liberdade para falar sobre o assunto, práticas eróticas mais livres, diminuição dos preconceitos contra grupos minoritários e dos sentimentos de culpa em relação ao tema, a conseqüente liberação para o nível da consciência de quase tudo que pensamos e sentimos a respeito do sexo etc.

Depois dessa segunda fase, mais analítica, em que nos familiarizamos com as limitações das propostas de emancipação sexual e cristalizamos os benefícios efetivos que pudemos extrair, chegamos a uma fase de síntese, que talvez esteja se iniciando com o novo milênio. Com tudo que pudemos aprender de nossas vivências no decorrer dessas décadas, tentaremos construir novos modos de existir no plano individual, assim como novas formas de organização social compatíveis com o novo ser humano que agora se manifesta. É hora de tentarmos nos apropriar dos fatos e propor caminhos, em vez de ficarmos apenas como espectadores.

Embora não seja fácil sabermos com precisão quais serão os caminhos disponíveis e o que poderemos pretender, algumas coisas já são claras, ao menos para mim. Uma delas é que estamos em uma estrada sem volta, ou seja, que não é possível que as jovens voltem a se casar virgens. Outra é que a libertação sexual dos adolescentes tenderá a trazer como conseqüência uma pressa muito menor de compromisso sentimental e um retardo na idade média dos casamentos, coisa que reputo muito positiva. Outro desdobramento que considero irreversível é a existência de uma multiplicidade de padrões de conduta sexual — e, por conseqüência, também sentimental — em substituição à estereotipia que caracterizava a vida privada há poucas décadas. Isso também me parece muito positivo e interessante, uma vez que pessoas diferentes não podem ser obrigadas a viver de modo idêntico. Aos poucos, talvez consigamos antecipar todos os desdobramentos dessas que, segundo penso, foram as movimentações sociais e individuais mais fascinantes e ricas da segunda metade do século XX.

A AUSÊNCIA DE SENSAÇÃO DE SACIEDADE É UM DOS ASPECTOS BÁSICOS DA SEXUALIDADE FEMININA

No presente item, descreverei uma peculiaridade da sexualidade feminina, e no próximo, uma relativa ao funcionamento sexual masculino. Na verdade, estarei me referindo às duas grandes diferenças entre os sexos. **Quero transmitir o seguinte: não consigo imaginar o masculino a não ser em relação ao feminino e vice-versa; assim, o que estou chamando de peculiaridade da sexualidade feminina é, de fato, algo que diferencia a mulher do homem. O mesmo raciocínio vale para o que descreverei com relação ao masculino, que só é relevante porque constitui uma diferença quanto à fisiologia feminina. Tais diferenças determinam grandes desentendimentos entre os sexos, uma vez que temos enorme dificuldade de raciocinar sobre estados físicos e psíquicos que nos são estranhos.** Há, em certo sentido, um abismo intransponível entre os sexos, derivado de como as vivências e as formas de pensar e de se posicionar se constroem em decorrência das sensações eróticas peculiares a cada um deles.

Quero registrar, mais uma vez, minha convicção de que as diferenças entre os sexos a que estarei me referindo são de natureza biológica e não apenas produto da influência da cultura sobre nossa subjetividade. Seria ingênuo subestimar o peso dessa última variável e sei quanto ela influi na constituição dos papéis — tanto o masculino como o feminino — e no modo como os exercemos. Não posso deixar de crer, porém, que esses papéis se constroem, ao menos em parte, usando como base nossas peculiaridades biológicas.

Seguramente, biologia e cultura em nossa espécie se misturam de tal forma que nem sempre conseguimos dissociar uma da outra. Acredito, no entanto, que a regra é que o padrão cultural duradouro se estabeleça alicerçado sobre um substrato biológico e não em oposição a ele. Tanto uma como outra não definem entre si um antagonismo obrigatório, apesar de que às vezes a cultura se coloca claramente contrária aos impulsos naturais, como em algumas proibições culturais básicas, entre elas a do incesto e a da antropofagia, por exemplo. Nesses casos, o padrão que se estabelece está em oposição a um impulso biológico que terá de ser forte e definitivamente cerceado com o objetivo de viabilizar a vida em sociedade.

Sempre me chamou a atenção o fato de que as fantasias eróticas femininas são muito diferentes do que as mulheres de fato praticam. As fantasias masculinas são mais diretas e os homens buscam ativamente realizá-las. Muitas mulheres se excitam ao se imaginar como prostitutas em um bordel, sendo abordadas por vários homens que não teriam resistido a seus encantos. Podemos explicar o fato de elas não tentarem realizar seus sonhos eróticos em decorrência das complicações e dos aspectos negativos inerentes à realidade. Ou seja, imaginar-se como prostituta, sendo desejada por todos os homens, é muito diferente de ficar em pé em uma esquina em uma noite fria à espera de eventuais clientes. Mas a questão não é só essa, já que outras condições objetivas mais favoráveis poderiam ser criadas para que as mulheres pudessem exercer esse sonho erótico múltiplo e indiscriminado, esse devaneio de uma intimidade sexual com parceiros sem rosto definido. Não deixa de ser curioso que foram os homossexuais masculinos que acabaram por vivenciar esse tipo de situação que corresponde ao sonho feminino — é claro que tal prática ficou prejudicada depois da disseminação da aids.

Em anos recentes, algumas mulheres aventuraram-se para além das fronteiras do estabelecido e tentaram praticar sexo com vários homens diferentes em poucos dias e sem nenhum tipo de envolvimento sentimental. Tal prática sempre foi possível e interessante para os homens, que, quando em situações objetivas favoráveis, se deleitam com as experiências múltiplas, inclusive com mais de uma parceira ao mesmo tempo. É fato que eles costumam ficar um tanto enjoados com a excessiva repetição dessas relações despojadas de significância, mas não deixam de achar graça no sexo sem envolvimento amoroso nem compromisso. **Eles se entretêm com esse tipo de erotismo e ao mesmo tempo ficam decepcionados com sua prática. Tudo leva a crer que as idéias e os sonhos eróticos indiscriminados são mais atraentes**

e excitantes do que os fatos. Isso é particularmente verdadeiro para as mulheres, para quem as fantasias eróticas envolvendo múltiplos parceiros são muito excitantes e a prática é extremamente decepcionante.

Mesmo levando em conta o fato de que a realidade sempre corresponde a uma condição menos emocionante do que a do sonho, ainda assim teremos de buscar uma explicação mais completa para que tal discrepância seja tão maior nas mulheres que nos homens. Parece que estamos diante de uma condição incomum, com relação a qual a postura cultural contrária à livre manifestação sexual das mulheres foi um tanto exagerada e desnecessária. Talvez tenha acontecido em virtude de como os homens sempre imaginaram a condição feminina e não de como ela efetivamente é. Eles crêem que as mulheres, pela facilidade que têm de encontrar parceiros e de se excitar ao se perceberem desejadas, estão sempre disponíveis para praticar sexo sem compromisso. Enganam-se ao pensar sobre o corpo e a sexualidade delas com a cabeça deles.

Gostaria de registrar aqui minha convicção de que a maior parte das mulheres sempre acatou essa limitação cultural de não praticar sexo sem compromisso sentimental não por serem criaturas submissas e dóceis nem pelo medo que, ao menos em parte, sempre tiveram dos homens e das sanções a que poderiam estar sujeitas. A prática do sexo pelo sexo só ficou no domínio da fantasia porque seu exercício efetivo foi frustrante, veio acompanhado de uma significativa decepção. **As mulhe-**

res que aproveitaram as facilidades criadas pela modernidade, ou seja, aquelas que, independentes economicamente e livres dos riscos de uma gestação indesejada, tentaram imitar as posturas masculinas ligadas a práticas que buscavam apenas a satisfação do desejo sexual descobriram que o resultado era um vazio e uma enorme sensação de insatisfação. Assim, muitas delas não praticam o sexo pelo sexo não porque estejam proibidas disso nem porque sejam mais românticas do que os homens. Não o fazem porque não extraem prazer de vivências desse tipo.

Voltemos à idéia inicial, a da existência de uma diferença biológica responsável por essa peculiaridade feminina de não achar graça no sexo quando ele não está associado a alguma outra condição — por exemplo, a um envolvimento amoroso. Os estudos de Masters e Johnson, publicados em 1966, nos mostraram uma peculiaridade interessante posterior à resposta orgástica feminina, diferente do que observaram após a ejaculação masculina. O homem passa por um período inexcitável, de total apatia — se não de aversão — sexual. A esse período chamaram refratário, de duração variável e dependente de inúmeros fatores, que corresponderia a uma condição de saciedade e de total ausência de desejo sexual.

O período refratário não existe depois do orgasmo feminino. Ao contrário, sobra na mulher uma excitação residual tal que a continuidade das carícias eróticas é perfeitamente possível e, se bem-sucedida, pode con-

duzir a um novo orgasmo. Essa operação pode ser repetida inúmeras vezes e seria responsável pelas múltiplas respostas orgásticas comuns nas mulheres mais amadurecidas e com menos medo de conviver com sua plenitude sexual. Assim, a mulher não ficaria completamente saciada após o orgasmo, condição frustrante nos casos em que o objetivo principal das trocas de carícias seria a busca da plena extinção da excitação sexual. Talvez seja essa a razão pela qual muitas mulheres deixam de se masturbar, pois, em vez de se apaziguarem e experimentarem o relaxamento próprio dos homens, ficam mais excitadas, perdem o sono e desenvolvem certa irritabilidade.

Essa diferença estaria na raiz do procedimento comum dos casais que não experimentam o clímax de modo simultâneo. Nesses casos, muito mais freqüentes, o procedimento usual consiste em os homens estimularem suas parceiras até que elas atinjam o orgasmo — ou os orgasmos — para depois haver a inversão de posturas, quando a mulher cria as condições para a ejaculação dele. Não é difícil para ela dar continuidade às trocas eróticas depois do orgasmo, ao passo que seria quase impossível para ele tratar de dar prazer à mulher depois de ejacular. Tal diferença costuma dar aos homens a falsa impressão de que as mulheres, por poderem fazer sexo de forma continuada e sem o período de desinteresse total que eles experimentam, são criaturas permanentemente disponíveis, que devem ser vigiadas de perto para se manterem dentro das normas da fidelidade feminina.

Os enormes desentendimentos entre os sexos derivam, dentre outras razões, das diferenças na maneira de ser de cada um e da dificuldade que temos de aceitá-las — uma vez que elas nos avisam que somos criaturas únicas e, portanto, de certo modo, solitárias. As mulheres têm sido induzidas, pelo feminismo, a pensar sobre si mesmas tomando por base o modo de ser dos homens, mas tal ponto de vista minimiza as diferenças biológicas. **A verdade é que o orgasmo não provoca a sensação de saciedade idêntica à da ejaculação.** Portanto, não encontraram nem mesmo a resolução de seus anseios sexuais, além de vivenciarem, assim como os homens, certo vazio proveniente do agravamento da sensação de solidão que a grande excitação sexual provoca. Os homens experimentam o vazio por não terem uma parceira interessante para as conversas que se seguem ao sexo, mas se sentem saciados, desse ponto de vista. As mulheres sentem dupla frustração. É como se tivessem ido a um restaurante, comessem, comessem e saíssem com fome.

O erro consiste no projeto, e este, no conhecimento precário da biologia. Quando uma mulher busca uma relação sexual desvinculada de afetos, deveria saber que o máximo que pode esperar é a agradável sensação erótica restrita às trocas de carícias. Se estiver buscando algo mais, se decepcionará. A maior parte das mulheres não vê sentido nas trocas eróticas que se processam dessa forma, ao menos depois da fase inicial da puberdade e adolescência, em que o "ficar" corresponde a intimidades dessa natureza limitadas aos beijos, abraços e outros agrados superficiais. Aqui, o que está em jogo é a curiosidade, o desejo de conhecer em si mesmo a intensidade da excitação sexual provocada por um beijo, por exemplo. A vivência é muito sadia, mas costuma se esgotar depois de alguns meses, condição na qual rapazes e moças passam a dar preferência aos namoros, em que o sexo se integrará aos fenômenos amorosos.

Temos dificuldade de pensar nos prazeres como um fim em si mesmo. Assim, o sexo pelo sexo determina, do ponto de vista masculino, além do prazer nas trocas de carícias, a resolução do desejo e o apaziguamento do corpo e da mente. Para a mulher, não existe a saciedade; o único motivo para as trocas eróticas seria o prazer que elas determinam, o que é difícil de ser aceito por nosso psiquismo muito comprometido com a noção de utilidade e de finalidade. As experiências podem ser agradáveis, porém isso não costuma ser suficiente para motivar sua busca. É conveniente que sejam interessantes a algum propósito prático. Caso contrário, nosso cérebro, não muito "calibrado" para vivenciar o prazer por si, tende a rejeitá-las. Esse aspecto soma-se ao vazio da sensação de solidão que se agrava pela inexistência da saciedade, afastando as mulheres dos caminhos igualitários propostos pela modernidade.

Assim, as mais atentas a si mesmas e a suas sensações íntimas têm reconhecido cada vez mais claramente a existência de uma excitação residual depois do orgasmo, mesmo quando múltiplo. Daí pode-se depreender que a obsessão contemporânea pelo orgasmo não faz muito sentido — talvez esteja mesmo a serviço da vaidade masculina, já que os homens se orgulham muito de "levar" as mulheres a tal estado. A menor preocupação com o assunto costuma conduzir aos orgasmos com mais facilidade. Como, em geral, elas não gostam da sensação de vazio que acompanha a excitação residual, buscam a intimidade física apenas com parceiros com os quais estejam vivendo uma intimidade também sentimental, de modo que optam por ter sexo apenas quando estão amando. **Ou seja, as mulheres, em grande parte, gostam de se perceber atraentes para todos os homens, condição que muito as excita, mas preferem ficar apenas na provocação. Excitam-se ao se sentirem desejadas por muitos homens, mas só têm interesse na intimidade física com o parceiro que seja também objeto do amor.** Conseguem, por essa via, satisfazer parcialmente seus anseios eróticos múltiplos e indiscriminados sem ter de vivenciar a intimidade desagradável. Não creio que caiba uma ponderação moral a respeito desse procedimento que busca conciliar os anseios de dois instintos que vivem em antagonismo.

O que acaba acontecendo é que a questão sexual torna-se importante para nós ao longo dos trinta dias do mês! Se as fêmeas dos outros mamíferos despertam o desejo dos machos apenas quando estão ovulando, período chamado de cio, poderíamos dizer que as mulheres estão permanentemente no cio — isso do ponto de vista do desejo que despertam nos machos e não obrigatoriamente da disponibilidade delas para as relações sexuais, que, não é impossível, está favorecida em alguns dias e prejudicada em outros. As mulheres despertam o desejo masculino o tempo todo e se sentem muito gratificadas e excitadas com isso. Os homens se vêem permanentemente despertados pelas mulheres, em especial pelas mais atraentes, e buscam, na medida do possível, se aproximar delas para tentar satisfazer seus desejos. Assim, fica fácil compreender por que a questão sexual assumiu, em nossa espécie, uma importância psicológica que ultrapassa de longe a questão da reprodução. Torna-se fácil compreender nossa dificuldade de entender todas as suas peculiaridades e de encontrar soluções conciliadoras entre esse instinto e outras particularidades da natureza humana, especialmente sua conciliação com o instinto do amor e a tendência possessiva e exclusivista que dele deriva.

O MACHISMO É A MAIS EVIDENTE MANIFESTAÇÃO DA INVEJA MASCULINA EM RELAÇÃO ÀS MULHERES

Este livro não tem por objetivo descrever de modo sistemático e profundo todos os aspectos de nossa sexualidade. Ao assunto tenho me dedicado em várias outras publicações. No caso particular da sexualidade masculina, penso ter escrito tudo que pude compreender em *Homem: o sexo frágil?* Com relação à sexualidade feminina, ressaltei que sua principal peculiaridade corresponde aos desdobramentos da ausência de período refratário após o orgasmo, o que determina a inexistência da sensação de saciedade sexual. Isso se resolve por intermédio do acoplamento das trocas eróticas ao amor, condição na qual a ausência de saciedade é preenchida pelo prazer de dar prazer e pelo deleite da companhia agradável e querida, ou, então, pela associação do sexo a uma finalidade prática, tal como algum interesse profissional ou financeiro no parceiro. É também possível que algumas mulheres resolvam cultivar o prazer derivado da excitação sexual por si mesmo, ou seja, sem nenhuma finalidade e sem buscar nenhum tipo de objetivo concreto ou mesmo a saciedade. De uma ou de outra maneira, toda mulher terá de aceitar a sensação desagradável de frustração por não experimentar a saciedade sexual de forma similar à que percebe existir nos homens. Não há dúvida de que, nesse particular, a condição masculina é privilegiada. A incapacidade para a dócil aceitação dos fatos é um importante elemento presente na maior parte dos tipos de inibição sexual feminina.

Neste item, farei uma breve descrição daquilo que é vivido pelos homens como seu ponto fraco. Trata-se da frustração de não se sentirem fisicamente desejados, isto é, não sentem que sua presença desperta nas mulheres sensações similares às que elas provocam neles. A mágoa é fácil de ser observada quando ainda é vivida de modo ostensivo e não dissimulado, ou seja, durante os primeiros anos da vida adulta. Assim, um rapaz de 14 ou 15 anos passa a sentir intensíssimos desejos sexuais desencadeados pelos estímulos visuais derivados da presença de um corpo feminino que lhe pareça atraente — e que, nessa idade, são quase todos! Ao mesmo tempo que vive o desejo em intensidade máxima, percebe que as moças não estão dando a menor atenção a ele. Moças da mesma idade que ele estão interessadas em rapazes mais velhos, já cursando universidades. O choque é muito grande, porque os meninos cresceram com a idéia de que ser homem era uma grande vantagem, um privilégio. De uma hora para a outra, são forçados a reconhecer sua condição como negativa, como menos favorável do que a das moças, que, quando meninas, eram tidas como inferiores, muitas delas vivendo o fato de serem do gênero feminino com frustração e desgosto.

Assim, durante a puberdade, os homens percebem que existe uma diferença na natureza do desejo sexual que favorece as mulheres e que, para terem acesso a elas, deverão tentar se destacar por meio de outras peculiaridades, além da aparência física — que, sem dúvida, também é um valor que desperta o interesse, mas não a razão do total impacto, como acontece na direção oposta. **Elas notam que os homens são portadores de um desejo efetivo, ou seja, de uma vontade de se aproximar e roçar seu corpo naquele que lhe despertou a excitação. Já as mulheres parecem ter interesse por determinados homens, algo bastante diferente. Tal interesse parece mais elaborado, mais complexo e sofisticado, ao passo que o desejo masculino é um tanto grosseiro, mamífero mesmo.**

Fica claro que o desejo masculino é desencadeado por estímulos visuais e tem natureza ativa — vontade de "agarrar" aquela que é o objeto do desejo. As mulheres se excitam ao se perceberem desejadas por homens que despertaram seu interesse e ficam em uma condição privilegiada. Seu papel é mais passivo, o que não implica nenhum tipo de inferioridade. Ao contrário, são elas que detêm o poder de permitir ou não a aproximação dos homens. Ao menos foi o que aconteceu a partir da sofisticação da vida em sociedade, evolução que só as favoreceu. Sim, porque na selva primitiva, os homens podiam abordar qualquer mulher graças a sua superioridade muscular. Não tinham nenhum tipo de limitação que os impedisse de saciar seus desejos, e às mulheres só cabia aceitar a abordagem deles. **Com o passar dos milênios e o avanço da vida social, hoje elas têm até o direito de recusar o próprio marido — última e mais recente conquista feminina, a definitiva nesse setor.**

É bom lembrar que a condição masculina tornou-se mais difícil nas últimas décadas do século XX, uma vez que os homens têm estado constantemente expostos a fortes estimulações eróticas em decorrência do livre exibicionismo das mulheres. Foram se conscientizando de que não são desejados igualmente como desejam — já que a nudez masculina não desperta nas mulheres o mesmo desejo que o corpo delas provoca neles, por causa da inexistência do desejo visual. Não era difícil concluir que os homens passaram a vivenciar sua condição, ao menos desse ponto de vista, como de inferioridade, o que provocou a inevitável sensação de frustração, que, em muitos, se transforma em revolta.

Tal revolta, oriunda da inexistência de resposta feminina equivalente ao desejo visual masculino, tornando privilegiada a condição delas, está, segundo penso, na raiz dos procedimentos chamados de machismo. Os machistas são aqueles que se beneficiam de sua superioridade muscular e de algum poder decorrente de sua posição social e econômica com o intuito de humilhar e diminuir as mulheres em todos os sentidos, o tempo todo. Eles adoram rotular as mulheres de burras. Deleitam-se com piadas nas quais elas são vistas como ignorantes, de interesses limitados às crianças e às coisas da casa, e assim por diante. Gostam de ter o domínio financeiro sobre elas e usam isso como trunfo, como arma. **Os machistas se insurgem contra o exibicionismo feminino não em virtude de convicções sociológicas ou de ordem moral, e sim por intensa e genuína inveja.**

Toda hostilidade gratuita pressupõe a presença de forte inveja. No limite da frustração e da inveja das mulheres, certos homens podem vivenciar total inibição do desejo sexual, condição que predispõe, notadamente quando associada a outros fatores de natureza psicológica e mesmo biológica, para o desenvolvimento de desejos e práticas homossexuais. É significativo o número de homossexuais em que é patente o prazer de se sentirem desejados, pois agora podem ser objeto do desejo visual de outro homem. Muitos passam a exercer um exibicionismo físico de forma mais evidente — e que os heterossexuais não praticam por causa dos preconceitos que ainda cercam os comportamentos masculinos. No limite extremo do exibicionismo e mesmo da inveja poderá surgir o desejo de se transformar em algo parecido com uma mulher; nesse caso, estamos diante do "travestismo".

É forte minha convicção de que a inveja que os homens sentem das mulheres pelo fato de elas serem portadoras do poder sensual corresponde ao componente fundamental das dificuldades que existem nos relacionamentos entre os sexos. Eles se sentem humilhados e têm raiva delas por não serem igualmente desejados. De nada adianta as mulheres, na atualidade, afirmarem que também desejam os homens e do mesmo modo. Isso não os convence — e não porque não queiram, mas porque não o sentem como verdadeiro. **Nestes tempos igualitários, as mulheres passaram a usar termos masculinos para se referir à impressão que determinados homens lhes causam. Dizem que "fulano é um tesão", da mesma forma que os homens. Não creio que sintam a mesma pressão no baixo-ventre que os homens sentem quando usam a expressão. Usar a mesma palavra não garante que as sensações sejam similares.** Aliás, tenho insistido muito no fato de que não vejo sentido algum nesse esforço cultural para que homens e mulheres sejam iguais do ponto de vista da sexualidade. As diferenças aparecem a olho nu! Acredito mais no processo de nos empenharmos para a adequada aceitação dessas diferenças e aprendermos a conviver com elas, aproveitando ao máximo esse fato, do que nos insurgirmos contra a realidade. Insisto mais uma vez na afirmação de que as belas idéias não são capazes de modificar o comportamento efetivo dos seres humanos se não estiverem em absoluta concordância com os fatos.

Desde cedo, os homens percebem que aqueles que conseguem se destacar são mais bem recebidos pelas mulheres. Esse é, sem dúvida, um importante reforço a sua busca de realizar proezas especiais que lhes tragam notoriedade. Buscam o destaque pelo reconhecimento de seus feitos, ao passo que as mulheres mais atraentes se destacam por sua aparência física — essa é a razão pela qual um psicólogo norte-americano chamou as mulheres bonitas de "celebridades genéticas", pois se tornam célebres simplesmente por existirem e serem como são; não é esse o caso dos homens. **O empenho gasto nessa busca de destaque constitui parte da energia responsável pela construção daquilo que denominamos de civilização.**

Assim, nossa civilização é obra essencialmente masculina. Isso se deve a duas causas: a primeira está relacionada com seu desejo de chamar a atenção das mulheres e melhorar sua posição no jogo de sedução e de conquista erótica. A segunda razão é que os homens — invejosos do sucesso fácil das mulheres atraentes e por serem como são — bloquearam o mais possível o acesso delas aos setores públicos, nos quais reinavam e se destacavam. Começaram a tratar suas atividades como as mais importantes e conseguiram convencer as mulheres disso. Estas, impressionadas com os feitos masculinos, passaram a desenvolver admiração e inveja em relação a eles, o que reforçava ainda mais a tendência masculina a excluí-las do espaço público. Assim, a inveja das mulheres — que Freud considerava como primária, já que não via a masculina — deriva de uma manobra bem-sucedida dos homens, por meio da qual reservaram para si os poderes econômico e social, bem como o destaque nos setores tidos como relevantes das atividades humanas de natureza intelectual, artística e mesmo aquelas relacionadas com a excelência física — como no caso dos esportes.

Para mim, a inveja masculina é um fenômeno quase universal; muitas são as mulheres que não invejam os homens e estão perfeitamente conciliadas com sua condição. Contribui muito para essa conciliação a postura que tiveram nos primeiros anos de vida, quando descobriram que existiam crianças com e sem pênis. Nessa idade, a condição feminina, caracterizada por uma ausência, pode ser entendida como menos privilegiada, de modo que a aceitação desse fato deriva de uma docilidade que tenderá a evitar o surgimento da inveja posterior.

Assim, os homens tentaram melhorar sua posição perante as mulheres por meio de feitos extraordinários. E conseguiram impressioná-las, atraindo para si a admiração, que é a matriz do sentimento positivo do amor, mas que também gera a inveja. As mulheres, agora contaminadas pela inveja em relação aos homens, sofisticaram suas armas, mostrando-se cada vez mais atraentes e sedutoras. Isso estimulou ainda mais os homens a buscar feitos maiores, determinando uma inveja feminina maior e o aprimoramento de suas armas. Está composto um círculo vicioso cujas proporções temos visto crescer exponencialmente nas últimas décadas, com um acirramento brutal da guerra entre os sexos, em vez de uma aproximação entre eles. **Assim, infelizmente, os ideais relacionados com a libertação sexual, que na década de 1960 nos levavam a pensar que a emancipação feminina traria apaziguamento da tensão entre os sexos e melhora significativa da qualidade dos relacionamentos, não têm se confirmado. O que temos visto mesmo é um número cada vez maior de pessoas infelizes, massacrando seus pares do sexo oposto, além de estarem, com sua guerra inútil, soterrando os menos dotados de ambos os sexos, que são oprimidos e ficam à mercê desse jogo ridículo em que todos são perdedores.**

Desde a segunda metade do século XX, vem crescendo o número de mulheres engajadas no espaço público exercendo atividades com destaque social. Essa é a novidade, e não o fato de elas trabalharem, pois isso sempre aconteceu. Passaram a ocupar cargos considerados importantes, disputando-os em condições de quase igualdade com os homens. **Se encararmos a guerra entre os sexos como uma disputa inevitável, que vem se desenvolvendo desde os primórdios, não há como negar que esse avanço feminino corresponde à consagração, à vitória definitiva das mulheres.** Elas mantêm intactas suas "armas", que são biológicas, e se apoderam das "armas" masculinas, aquelas relacionadas com o destaque e o sucesso social. Os homens jamais poderão se apropriar das "armas" femininas, ainda que em certas épocas possa parecer que isso esteja por acontecer. Reafirmo minha convicção de que o exibicionismo físico masculino pode gerar muito prazer aos homens, mas não provoca o desejo visual feminino, porque este não existe. Homens muito bem constituídos do ponto de vista físico provocam a admiração de algumas mulheres e o desejo dos homens homossexuais. Assim, só lhes resta aceitar a derrota e decretar o fim da guerra entre os sexos.

Nos termos em que foi colocada a guerra entre os sexos, acredito que ela estava perdida desde o primeiro dia. O poder sensual feminino é um fato indiscutível e os esforços masculinos de excluir as mulheres do espaço público um dia deixariam de ser eficazes. Não há como se defender de fatos. Qual a saída masculina? Os homens só têm uma: aceitar melhor a diferença biológica, ou seja, não cultivar dores e frustrações para as quais o único remédio é a aceitação da condição que as gerou. Não sermos desejados do modo que desejamos é um fato biológico definitivo. Agora, vivenciarmos isso como uma brutal frustração e não nos conformarmos com isso é apenas uma interpretação que estamos dando ao fato. Não é, portanto, inevitável.

Pode ser muito doloroso reconhecer que existem diferenças entre os sexos que, ao menos nos primeiros anos da vida adulta, nos sejam desfavoráreis. Ainda assim, temos de aceitá-las, digeri-las e superar a dor que elas porventura nos provoquem. Não há nada que possamos fazer a não ser aceitar os fatos, da mesma forma que as meninas que, aos 2 anos, se reconheceram incompletas por não possuírem o pênis tiveram de aceitar sua condição para poder continuar a crescer emocionalmente. **A evolução emocional acontece algumas vezes porque conseguimos ultrapassar obstáculos e outras por aceitarmos com docilidade limitações inexoráveis. É preciso distinguir muito bem essas duas condições para que não cometamos o grave erro de lutar para superar aquilo que devemos apenas aceitar.** Sair lutando desesperadamente para tentar reverter uma situação imutável só trará maior desgaste e acúmulo crescente de rancor, o qual será responsável por novo acirramento das competições, mesmo entre os homens; todo o trajeto percorrido na direção da evolução e do progresso social sempre esteve contaminado com ingredientes de hostilidade e frustração mal conduzidos. O resultado não poderia ser muito diferente daquele que temos observado, em que tem sido cada vez mais difícil continuar atribuindo sinal positivo a palavras como "progresso" e "evolução".

Assim, não é a diferença biológica entre os sexos a responsável efetiva pelo machismo. Ele é fruto da frustração que experimentamos ao nos posicionarmos inadequadamente diante da diferença. A revolta feminina perante as arbitrariedades masculinas manifesta-se por novas hostilidades, que fazem perpetuar o atrito e a tensão entre os sexos. Homens e mulheres vivem cada vez mais afastados e desconfiados uns dos outros, o que agrava ainda mais o estado de frustração coletivo. Acredito que a frustração que sentimos diante das diferenças biológicas é um importante componente das inibições sexuais masculinas e do encaminhamento homossexual. É o mais relevante ingrediente, de meu ponto de vista, da tendência para a ambição social e material desvairada e irracional presente em muitos homens — não raramente os mais inteligentes, que, talvez por isso mesmo, se sentem mais prejudicados e magoados diante da diferença que favorece as mulheres.

Os homens que conseguem aceitar melhor a diferença biológica entre os sexos passam a ter uma nova visão das mulheres e menos agressividade associada ao desejo sexual; aprendemos que o sexo está acoplado ao amor, mas, na realidade, está mais do que tudo ligado à agressividade; a prova maior disso são os palavrões, quando usamos termos eróticos para descrever situações de violência. As mulheres deixam de ser adversárias ou inimigas. Homens e mulheres poderão conviver em um clima de cordialidade e ternura que nunca foi a regra no convívio íntimo dos casais. A superação da frustração sexual deverá conduzir os homens a uma importante diminuição na intensidade da ambição e da sede desmedida de sucesso. A partir daí, poderão buscar novos caminhos para uma adequada realização pessoal, nos quais a qualidade de vida seja a meta principal. A diminuição da importância da competição trará uma significativa vitalização das relações de amizade.

Os homens que aceitarem sem mágoa e revolta sua condição de portadores de um desejo visual intenso, que os faz mover-se ativamente na direção das mulhe-

res que o despertam, exercerão seu papel sem se sentir humilhados. Aceitarão com mais facilidade o fato de as mulheres que lhes despertam o desejo nem sempre sentirem interesse por eles. Trata-se de um tipo de desencontro inevitável, que, por si, não contém nenhum elemento trágico. Os homens mais apaziguados com a realidade exercerão seu prazer exibicionista mesmo sabendo que isso não forçosamente despertará o desejo feminino. Temos acompanhado, desde a revolução sexual dos anos 1960, um aumento do livre exibicionismo masculino, antes fortemente reprimido pelas normas culturais. O prazer erótico de se destacar e de aparecer socialmente de forma mais extravagante é parte integrante do componente erótico da vaidade e, se não for exercido apenas porque não existe desejo visual nas mulheres, acabará por causar uma dupla e desnecessária frustração.

Aqueles que aceitarem com docilidade a diferença biológica, que, ao menos inicialmente, favorece as mulheres — só inicialmente, pois a maturidade acabará por ser mais dolorosa para elas, acostumadas a atrair olhares que tendem a escassear com o passar das décadas —, ficarão livres da obsessão sexual que nos acompanha há milênios. A própria obsessão acerca dos temas sexuais é um importante indício da intensidade das frustrações que vivemos quanto a esse instinto. Sim, porque são as questões não resolvidas as que mais insistentemente permanecem em nossa mente. Os homens libertos dessa obsessão poderão, pela primeira vez, refletir sobre como gostariam de ser e de viver. Estarão, talvez pela primeira vez, desobrigados de pensar como terão de se comportar para impressionar as mulheres. Portanto, a relevância do tema para a questão da liberdade dispensa mais comentários.

Um desdobramento interessante e muito provável de ser vivido por aqueles que conseguirem completar essa evolução é o seguinte: os homens mais livres serão muito mais dóceis e amigos das mulheres — justamente em decorrência da superação das frustrações sexuais —, e serão, sem muita dúvida, os mais interessantes e atraentes para elas. As mulheres admiram muito os homens que não se subjugam a seus encantos eróticos; no fundo, desprezam e tripudiam sobre aqueles que estão em suas mãos. Os homens conciliados com sua condição não se sentirão inferiorizados pelo fato de sentirem o desejo visual nem humilhados se não forem aceitos. Serão menos insistentes e muito menos invasivos. Tal postura despertará a curiosidade feminina, uma vez que a vaidade delas ficará um tanto prejudicada por tão firme independência masculina; isso é válido particularmente para as mais belas, sempre acostumadas com o assédio. Um posicionamento masculino mais digno e firme — apesar do desejo presente, não há, insisto, motivo para nenhum tipo de postura humilde, tampouco insistente — implicará um reposicionamento das mulheres, cujos resultados gerais, os quais já é possível vislumbrar por indícios presentes em muitos jovens da atualidade, trarão repercussões positivas para todos.

Muitos são os rapazes que têm se comportado de forma menos voraz, esperando posturas mais receptivas das jovens de sua faixa etária e condição social, em vez de irem atrás de prostitutas ou de moças de nível social inferior. Sabem que o desejo intenso atenua-se com a masturbação, de modo que a praticam sem constrangimento e culpa. Isso cria uma condição de serenidade e de relativa igualdade em relação às moças, posto que o desejo visual se ameniza sem que eles tenham de agir da forma invasiva tradicional. Muitos são os pais amedrontados e preocupados diante da passividade dos filhos. Não deveriam se posicionar dessa maneira, mas sim prestar muita atenção ao que estão assistindo, pois são os bons sinais do nascimento de uma nova era.

A MANIFESTAÇÃO MAIOR DA VAIDADE NO SER LIVRE CONSISTE EM EXIBIR SUA COERÊNCIA

A vaidade é um assunto importantíssimo, dificílimo e fascinante. Tenho tentado refletir sobre o tema nas últimas décadas e confesso que ainda me sinto engatinhando. Temos dificuldades enormes em compreender tudo que diz respeito a nossa sexualidade. A compreensão é tumultuada pelo emaranhado que se formou ao longo dos milênios de civilização, nos quais tentamos, sem muito sucesso, conciliar nossos desejos intensos com a necessária repressão deles. **A questão da vaidade é surpreendente, pois implica a existência de uma espécie de excitação sexual dentro de nós mesmos, como se sentíssemos algo por nós.** Talvez esse ponto tenha sido o causador de uma grande confusão em decorrência da não separação entre sexo e amor no seio da teoria psicanalítica, uma vez que gerou a hipótese da existência de amor por nós mesmos — o que não creio que exista. O que sentimos por nós é de natureza sexual e não sentimental.

Vemos com curiosidade o pavão, que se abre todo ao perceber que está sendo observado. A verdade é que o processo que existe em nós não é muito diferente. Quando uma criança ganha uma correntinha de ouro e a coloca no pescoço, experimenta a sensação erótica agradável relacionada com a vaidade. Sente que está diferente, que não é mais a mesma. Busca chamar a atenção — e, como regra, com sucesso — das outras pessoas em virtude da novidade que carrega no corpo. Quando adultos, passamos a ter uma sensação similar, por exemplo, ao sairmos de uma agência dirigindo um carro novo, ao ganharmos uma jóia, ao vestirmos uma roupa pouco comum ou ao trocarmos o velho relógio por um novo. **O prazer é claramente erótico e, infelizmente, de duração muito efêmera, de modo que teremos de buscar novos adornos para voltarmos a sentir o prazer sexual difuso associado ao fato de nos exibirmos e nos destacarmos aos olhos dos outros.**

Estou me referindo a objetos usados como adorno que determinam a sensação de sermos especiais e destacados. De fato, qualquer novidade visível aos olhos de nossos semelhantes poderá despertar a mesma sensação. Se uma pessoa cortar os cabelos de forma incomum ou tingi-los com cores pouco usuais, também sentirá as delícias da vaidade. Quando o gordo emagrece e chama a atenção de seus conhecidos, que elogiam sua nova aparência, certamente ficará estimulado a permanecer nesse estado em decorrência da recompensa — os elogios que tão bem fazem à vaidade — que obteve.

O fenômeno da vaidade é, a meu ver, essencialmente pessoal. É o que penso de nossa sexualidade, em que os outros são necessários como observadores ou até desencadeadores de nossos impulsos eróticos. O que quero dizer com a palavra "pessoal" é o oposto de "interpessoal", em que o outro é relevante, tem rosto, nome, corresponde a alguém por quem sentimos carinho. Quando nos exibimos para os outros, estes são criaturas quaisquer, pouco relevantes, com as quais não temos nem pretendemos ter intimidade. Só queremos que estejam por ali para nos observar e nos olhar com admiração, interesse e, eventualmente, desejo. Em virtude da vaidade e da necessidade que temos de nos exibir para observadores — ainda que anônimos —, nosso instinto sexual representa mais um fator que determina a tendência à aglutinação dos seres humanos.

A importância que o ato de olhar — e de ser olhado — tem para a vida íntima de todos nós não pode ser subestimada. Se não existisse a vaidade, que depende de sermos olhados com admiração e interesse, seria difícil imaginarmos pessoas saindo de casa para dançar em lugares públicos. É pouco provável que freqüentássemos bares e restaurantes apenas pela comida e pela bebida. As indústrias de vestuário e cosméticos estariam em uma situação extremamente desconfortável. As pessoas não seriam tão fascinadas pelo carro do ano, diferente do anterior apenas em alguns detalhes, dando *status* especial a quem o possui. **Ter *status* significa ser criatura portadora de objetos ou condições valorizadas por dado grupo social, de modo que, ao se diferenciar da média, terá o destaque necessário para alimentar o prazer erótico da vaidade.** Não há necessidade de nos alongarmos nesse assunto para constatarmos que vivemos em uma sociedade que nos torpedeia com mensagens publicitárias muito eficientes, que procuram nos induzir a todo tipo de consumo para alimentarmos nossa vaidade.

A vaidade corresponde a um importante aspecto de nosso instinto sexual, uma vez que o exibicionismo provoca um estado de excitação muito agradável, e é por isso que tendemos a buscar novas situações que reproduzirão a sensação prazerosa. O fenômeno, como tudo que diz respeito ao sexo, tem que ver essencialmente com nosso corpo e com suas peculiaridades. Assim, a vaidade influi na preocupação que temos com nossa aparência física propriamente dita, além, é claro, dos adornos que gostamos muito de agregar ao corpo. **Apesar desse compromisso com o corpo, observamos que a vaidade "contamina" também nossa vida intelectual. Ou seja, o prazer relacionado com o destaque e com o chamar a atenção das outras pes-**

soas passa a existir para os feitos e os processos relacionados com nossa razão. É difícil entender os caminhos que nos levaram a essa extensão duvidosa da sexualidade, que acaba por invadir um território talvez mais eficiente se estivesse livre desse ingrediente que influi de modo perigoso em nossas reflexões. Não é impossível que tenhamos nos sentido de tal forma humilhados com nossa insignificância cósmica — com o fato de que, do ponto de vista do universo, não somos mais do que um grão de areia — que tenhamos tendido a buscar valores de importância duvidosa para agregar a nossa condição. E para isso a vaidade é o parceiro ideal.

Assim, um intelectual poderá se sentir muito gratificado — e até especial e superior — ao exibir seus conhecimentos e citar autores que ele tenha lido e que sejam desconhecidos de seus interlocutores. A sensação não é muito diferente daquela experimentada por uma pessoa que usa uma jóia de rara beleza e alto valor; ela se sente destacada e, de alguma forma, desperta a admiração de outros, que poderão também ter uma sensação de desconforto, de certa inferioridade por não possuírem objeto igual. O cientista poderá se envaidecer com suas descobertas e adorar ser reconhecido como pessoa muito especial. O mesmo poderá acontecer com o artista, admirado por suas criações, e assim por diante.

Algumas pessoas posicionam-se de outra forma diante da questão da vaidade. Registram o caráter "medíocre" e "mesquinho" desse sentimento, o que não deixa de ter um fundo de verdade se pensarmos no esforço que, por vezes, todos nós fazemos apenas para atrair o olhar das outras pessoas e que nada vai acrescentar, a não ser pouco mais do que alguns segundos de sensação erótica. **É sempre interessante lembrar que a palavra "vaidade" tem a mesma origem etimológica de "vão", de "vazio"! Então, não se pode esperar desse sentimento muito mais do que uma cócega agradável e passageira.**

Parece-me perfeitamente compreensível que se tenha uma postura crítica em relação à vaidade. O que não sei se é cabível é a pretensão das pessoas que a observam criticamente de tentar abrir mão de todas as condutas que deixem transparecer algum aspecto desse tipo de prazer. Buscam uma espécie de transcendência, de superação da vaidade, e o abandono dos prazeres do corpo, tratados como banais. **Não posso deixar de considerar tal postura a maior expressão da vaidade, uma vez que implica a proposição de um estilo de vida próprio de seres "superiores". Ao abandonar a vaidade, a pessoa procuraria se transformar em um ser sobre-humano, o que corresponde a uma vaidade ainda maior.**

Em síntese, não há como impedir a existência de um componente de vaidade em todas as nossas ações. Os seres humanos têm um compromisso com sua sexualidade e a renúncia total à vaidade seria a suprema vaidade. Nem tudo que fazemos é movido exclusivamente por ela, mas o prazer exibicionista está presente em tudo. Assim, não cabem afirmações depreciativas sobre alguém apenas porque apresentou sinais de vaidade.

Somos todos vaidosos e não há por que nos envergonharmos disso. **O que distingue os diversos tipos de ação praticados pelas pessoas não é a presença da vaidade, e sim a existência ou não de outros elementos que as influenciaram.** Uma pessoa pode querer exercer um cargo político por pura vaidade ou, então, ter dentro de si um genuíno desejo de servir a comunidade; a presença desse último não implica a inexistência de vaidade, que, de modo inevitável, nasce de outras motivações e se acopla ao projeto original. **Costumo dizer que uma boa prática, antes de nos decidirmos por alguma ação, é nos perguntarmos sobre ela "vaidade à parte". "Vaidade à parte", temos mesmo interesse em política? Se a resposta for afirmativa, acredito que valha a pena nos encaminharmos para isso.** Se for pura vaidade o que nos move em dada direção, penso que não seremos felizes se seguirmos por ali, pois, como já disse, os prazeres são muito fugazes e provavelmente não compensarão os esforços despendidos.

Nada está livre da vaidade, nem mesmo os fenômenos relacionados com o encantamento amoroso. O discurso amoroso parece um contínuo incensar da vaidade: "Você é incrível! É uma pessoa superespecial! Não há ninguém como você no mundo!" Temos mesmo a impressão, ao menos no início dos relacionamentos, de que poderemos viver livres dos elogios dos outros, desde que sejamos devidamente amados e incensados. **Sonhamos até abandonar a civilização e viver com o parceiro em algum local ermo, apenas para "curtirmos"**

um ao outro e sermos elogiados um pelo outro. Felizmente, não costumamos realizar esse sonho, que, como tudo que contém forte ingrediente de vaidade, seria satisfatório apenas por muito pouco tempo. É claro que o amor é muito mais do que simples vaidade, mas não há dúvida de que ela é parte relevante do processo.

Muito da preocupação que temos com a opinião das pessoas a nosso respeito tem que ver com a vaidade. Gostamos muito de ser admirados e respeitados e nos sentimos especiais quando percebemos que as pessoas nos olham de modo distinto. É possível que vários de nossos esforços práticos ao longo da vida tenham como meta a obtenção desse tipo de recompensa. A admiração é elemento presente nos sentimentos positivos ligados ao amor e é a matriz da inveja, posto que quem se sentir humilhado por não possuir as propriedades que admira no outro poderá desenvolver uma resposta hostil em relação a ele. **Quando somos admirados e queridos, ficamos muito satisfeitos, porque somos gratificados tanto do ponto de vista amoroso como do erótico. Quando somos mais do que tudo invejados por nossas qualidades, nos sentimos gratificados pela vaidade e frustrados sentimentalmente. A inveja já é a resposta esperada em certos casos de exibicionismo. O número de pessoas que adoram despertar a inveja é maior do que se pode imaginar. Ser invejado corresponde a um momento em que o indivíduo se sente superior.** Tal sensação é muito importante para aqueles que, na intimidade, são corroídos por fortes sentimentos de inferioridade e padecem de grande insegurança pessoal. Pessoas mais conciliadas consigo mesmas não gostam de provocar a inveja dos outros. No entanto, mesmo que não seja esse seu desejo, tal condição ocorrerá muitas vezes; nesses casos, é fundamental tomar a inveja — ainda que indesejada — como elogio, e não como algo que nos desabone.

Como a vaidade está em toda parte, resta-nos apenas aceitar sua existência, assim como seus desdobramentos, entre eles a inevitabilidade da inveja entre os humanos. O fenômeno da inveja só estará sob controle naquelas pessoas que compreenderem, de modo definitivo e categórico, que somos criaturas únicas e que qualquer comparação que façamos com os outros será um grave erro lógico. **Se não nos compararmos, teremos melhores condições para apreciar o outro, admirar suas qualidades sem nos sentirmos diminuídos por elas.**

A aceitação dócil e serena de todas as peculiaridades de nossa espécie e de nossa condição é a premissa básica deste livro, uma vez que a considero o elemento fundamental para os que buscam a libertação. Não podemos sequer nos ocupar de fazer julgamentos de ordem moral acerca de nossas peculiaridades. **Não é nosso problema sabermos se a vaidade é um bem ou um mal. A vaidade é.** Ela nos envolve, e o que nos cabe é dar um destino digno a suas manifestações. Não nos cabe qualquer atitude de revolta ou frustração pelo fato de sermos como somos, mas sim encontrar a melhor fórmula interna capaz de integrar de maneira harmoniosa todas as nossas características. E mais, não é válido fazer de conta que não temos esta ou aquela peculiaridade. Não iremos a lugar algum negando partes de nossa subjetividade.

Assim, o indivíduo livre, como todos os outros, tem vaidade e é plenamente consciente disso, o que talvez o faça menos escravo dela e mais hábil para pensar segundo o modo proposto da "vaidade à parte". Isso melhora a chance de que nossas decisões existenciais sejam governadas por elementos mais sofisticados presentes em nós, e não apenas pela vaidade. A consciência de nós mesmos, o "conhecer-se a si mesmo" tão falado e tão pouco praticado cria as condições para que não sejamos escravos de nenhuma de nossas características, nem mesmo das normas rígidas que tentaram nos impor ao longo dos anos de nossa formação — e sobre as quais deveríamos refletir criticamente depois de adultos para sabermos quais respeitaremos e quais abandonaremos. **Quanto maior for nosso autoconhecimento, mais estaremos transferindo o comando para nossa razão, porque ele a fortalece, de modo que ela ganha os elementos necessários para se sobrepor tanto aos impulsos como aos vários preconceitos que nos povoam contra nossa vontade.**

O indivíduo livre exercerá sua vaidade da forma que melhor lhe aprouver. Não existe aqui nem em qualquer outro aspecto um único modo de expressão de nossa condição humana. **Apenas como hipótese, considero provável que o indivíduo livre será mais do que tudo**

orgulhoso de sua coerência e de sua consistência, do fato de ter idéias firmes e da pequena discrepância entre elas e sua conduta. Talvez essa seja a forma mais expressiva e genuína da vaidade, na qual a pessoa tem grande prazer erótico de exibir a si mesma, um ser mais bem-acabado e vivendo próximo da harmonia. Terá procedimentos peculiares, usará certas palavras, adotará um modo de se vestir característico, morará em uma casa que será o espelho de suas convicções e possuirá pontos de vista sobre os aspectos da existência compatíveis com sua forma de viver e de se apresentar aos olhos dos outros. **É provável que se orgulhe de ser como é e de sua coerência. O prazer erótico de se exibir como criatura assim constituída deverá superar muito o prazer efêmero e instável ligado à exibição de ornamentos e de outros objetos que não tenham nada que ver com a real subjetividade da pessoa.**

4 quatro A RAZÃO E A QUESTÃO DA LIBERDADE

NOSSA RAZÃO TEM SIDO NEGLIGENCIADA PELA PSICOLOGIA CONTEMPORÂNEA

A psicologia do século XX foi um tanto negligente com o estudo da razão como um dos fatores fundamentais de nossa vida íntima. Ela é a propriedade que nos caracteriza como espécie distinta, o que temos de mais peculiar. **Nossa razão é tão biológica quanto qualquer de nossas propriedades instintivas ou neurofisiológicas. É um dos subprodutos derivados do grande desenvolvimento das partes externas do cérebro, sendo o que, em nossa espécie, mais aumentou.** O pouco interesse que a razão despertou nos estudiosos do século XIX derivou, antes de tudo, das importantes descobertas relacionadas com nossa vida instintiva e com as emoções e sentimentos que nos constituem. Como naquele século tudo era voltado para a racionalidade — ainda que de forma muito diferente daquela que hoje nos importa —, era mais do que esperada a reversão do interesse aos impulsos e emoções com as descobertas fundamentais de Freud e dos primeiros psicanalistas.

Outro componente da negligência em relação à razão é o fato de a psicanálise ter voltado sua atenção para os fenômenos inconscientes, aqueles que não podem ser enxergados de forma direta e fácil. Assim, passou-se a considerar mais importantes e dignos os estudos relacionados com os processos que escapam a nossa observação imediata. Aliás, muitos de nós têm a tendência de se ater menos ao que está diante dos olhos. Isso acontece porque acreditamos que já temos certo conhecimento sobre esses aspectos apenas por convivermos o tempo todo com eles. Trata-se de um grave engano, e o próprio estudo da razão é um bom exemplo disso. **Apesar de ser uma instância psíquica com a qual estamos em contato permanente, pela qual pensamos, agimos e reagimos, pouco sabemos sobre seu funcionamento. E mais, se quisermos estudá-la, teremos de nos valer dela e de seus recursos. É claro que, do ponto de vista de uma metodologia científica rigorosa, isso implica problemas complexos. Entretanto, não dispomos de outros recursos e seremos nós a estudar nós mesmos.** Os enganos e as dificuldades serão muitos; mesmo assim, é imprescindível que consigamos entender como funciona a razão. Nossa libertação depende de estarmos em condições de nos conhecermos muito bem e também o que nos cerca. Para isso, precisamos de um processo racional ativo, eficaz e, se possível, competente para nos livrar dos enganos e auto-enganos que tanto nos têm prejudicado.

Apesar de não gostar de analogias, penso que podemos compreender melhor a razão se a compararmos com o computador, a criação humana mais parecida com ela. Deixo de lado o rigor científico em benefício da clareza do que pretendo descrever. O *Homo sapiens* existe há cerca de 140 mil anos. É provável que, ao longo dos primeiros 130 mil anos, já fosse dotado do poderoso sistema de neurônios muito bem conectados entre si, competente para grande variedade de atividades e funções. Estou falando do cérebro. O sistema estava pronto, mas sem informações. Foi talvez por volta de 10 mil anos atrás que o ser humano foi capaz de começar a utilizar melhor seu "computador", o que se deu por meio do estabelecimento da linguagem. Esta corresponde, mesmo em suas formas primitivas, a um sistema de sinais que podem ser transferidos de uma pessoa a outra, de uma geração a outra. Tal sistema possibilitou as primeiras correlações e equivale a uma forma incipiente de "programa", a algo que permite ao ser humano utilizar mais adequadamente seu "computador" — que ele já tinha há 90 mil anos, mas sem condições de usá-lo. A partir daí, começou a verdadeira história da humanidade, aquela que deixa registros e permite acumular conhecimentos e que acabou por nos conduzir até aqui.

É importante reafirmar, portanto, que nosso primeiro "programa" foi autofabricado. Podemos dizer que, desse ponto de vista, somos filhos de nós mesmos. Não é de espantar o grande número de enganos que é possível encontrar no modo como pensamos. Em vez de nos penitenciarmos por isso, temos mais é de nos orgulhar de termos conseguido dar uso a nosso cérebro e iniciar o processo de interação com o meio ambiente que nos caracteriza.

Nossa história pessoal repete a história de nossa espécie. Ao nascermos, nosso cérebro está pronto, mas sem informações. Talvez tenha algum registro uterino relacionado com um estado de harmonia e homeostase. Com base nas experiências vitais que se iniciam com o trabalho de parto, o sistema passa a acumular dados por meio de um de seus componentes, a memória, a qual corresponde à primeira propriedade da razão que se manifesta de forma clara. **Com o passar dos meses e depois de um a dois anos, a acumulação de certo número de informações permite que o aspecto mais surpreendente da razão se manifeste, qual seja, a capacidade de estabelecer correlações entre os dados disponíveis na memória.** Suas primeiras manifestações se dão de maneira muito simples e podem ser observadas na criança pequena quando correlaciona um objeto com sua função ou utilidade. **O processo que envolve a seqüência dessas correlações faz parte do que chamamos de aprendizado.** Cada criança aprende a correlacionar objetos, sons e cores, entre outros, com situações, funções, pessoas etc. O sistema de correlações e registro na memória sofistica-se rapidamente durante os anos de formação e se mantém em funcionamento ao longo da vida adulta.

O crescente número de informações registradas na memória, associado a uma capacidade cada vez maior de estabelecer correlações entre elas e os novos fatos com os quais se entra em contato, vai criando condições propícias para operações psíquicas cada vez mais complexas e sofisticadas. Ultrapassa-se a fase, que agora podemos considerar simples, da correlação de objetos entre si ou entre objetos, situações e pessoas. **Do aspecto da linguagem, essas associações simples definem as frases. A etapa seguinte é a dos conceitos, que são generalizações decorrentes da correlação entre frases que tenham semelhanças entre si e vão além daquele mundo inicial da razão que se alimentava apenas de fatos e ações simples. Os conceitos já podem ser chamados de idéias.** Quanto mais avançamos na direção das funções mais sofisticadas da razão, mais nos surpreendemos com seu caráter mágico e pouco acessível a nossos precários conhecimentos. É fascinante refletirmos que, no início, a matemática era constituída por dez pedrinhas iguais e que cada aglomerado diferente recebeu um nome — o dos números; atribuiu-se também um nome à ausência de pedrinhas. O símbolo que representava os grupos de pedrinhas permitiu construir um aglomerado de correlações e conceitos que são representações do que pode existir, mas que, de fato, não está lá. Os desdobramentos do sistema de pensar por meio dos números têm sido essenciais para o progresso das ciências, e o potencial de avanços possíveis é indescritível.

As idéias são representações da realidade que apenas passeiam por nossa mente, constituindo boa parte de nossos pensamentos. As idéias derivam dos fatos. Contudo, a partir de certo ponto, podemos operá-las somente no nível dos pensamentos, construir hipóteses ligadas à modificação de fatos existentes. Observando um relógio que existe, podemos construir uma idéia que o modifique e que constitua outro que não existe. Podemos depois tentar transformar essa idéia em um fato, que, se bem-sucedido, será novo, algo que não tinha existência. **Assim, fatos podem ser modificados no plano de nossas idéias, e essas modificações por vezes dão origem a novos fatos. Esse é, em sua versão mais simples, o modo como pudemos usar nossa razão com o objetivo de modificar paulatinamente nosso hábitat.** Nossa condição objetiva era muito precária e, pelo uso competente da razão, ganhamos os meios para interferir nos fatos de forma a sofisticar o cultivo sistemático dos alimentos, confinar os animais que nos interessavam, criar os primeiros objetos para obter melhores resultados com menor uso da força física, aprimorar esses avanços de maneira tão fantástica que chegamos hoje a uma situação oposta: temos de deter nossa razão e as possibilidades de avanço tecnológico que criamos sob pena de destruir o equilíbrio do planeta.

Mais dois elementos passam a fazer parte do processo racional e podem trazer importantes benefícios à sofisticação do processo, mas também algumas complicações e alterações de rota, perturbações no bom andamento das correlações entre fatos e idéias. O primeiro deles consiste no seguinte: alguns fatos, objetos, situações ou pessoas podem ser correlacionados com emoções que surgem de modo espontâneo. Ao notar a presença da mãe, a criança costuma experimentar uma sensação de alegria e serenidade. A mesma criança pode reagir com medo diante da presença de determinados animais. **Associações de emoções a situações, pessoas ou objetos determinam os reflexos condicionados, processos não racionais que, presentes em nossa razão, podem levar a enganos que prejudicam a avaliação objetiva de novos fatos ou situações. Se a redução de todos os nossos processos mentais aos reflexos condicionados não pode deixar de parecer um engano diante das observações que estou tentando fazer, engano igual seria subestimarmos sua presença e importância em nossa vida íntima.** Para um bom entendimento de nós mesmos, é necessário distinguirmos nossas idéias legítimas daquelas que nos chegam pela influência de condicionamentos.

Não é nada simples detectar os processos racionais que estão "contaminados" com emoções e que teriam menor chance de nos levar ao domínio das conclusões que mais se aproximam da verdade. A maior parte do que aprendemos se dá pela via das simples correlações e está livre dos reflexos condicionados. Entretanto, muitos de nossos pensamentos nos remetem a emoções e podem dar início a um processo pelo qual sentimos emoções relacionadas com certos objetos, pessoas e situações. O mundo das idéias — ou seja, o das correlações entre conceitos — vai ganhando crescente e surpreendente autonomia, de modo que podemos "viajar" sem nos movermos. Imaginamo-nos em um local distinto daquele em que estamos, com companhias diferentes das que temos ou mesmo usando objetos que não possuímos. Nesses casos, é possível sentirmos as emoções que julgamos ser as que correspondem a tais situações. Dispomos de uma memória que registra emoções, de modo que, ao rememorarmos determinadas situações que vivemos, sentimos as emoções — agradáveis ou não — que estiveram presentes naquele contexto. **Nossa memória não é "em preto-e-branco". Ela é "colorida" pelas emoções que acompanham praticamente todos os fatos que vivenciamos.**

O segundo ingrediente que passa a fazer parte do processo racional corresponde a uma sofisticação que se estabelece por volta dos 6 ou 7 anos, quando o indivíduo começa a tentar observar os fatos — e sentir as emoções — pelos olhos do outro. Isso se inicia no momento em que a criança procura se colocar no lugar de uma pessoa, animal ou mesmo objeto e trata de supor quais são suas observações e emoções. É incrível como esse procedimento aumenta o volume de informações que passam a alimentar nossa razão. Além disso, surge outro complicador, derivado da possibilidade de construirmos mais de uma idéia relativa a um único fato objetivo: **temos a idéia que se compõe dentro de nós mesmos e aquela que supomos ser a do outro; elas nem sempre coincidem. Esse processo dá origem ao que tenho chamado de razão abstrata, em oposição à razão concreta, que corresponde às idéias que advêm de nossa sensopercepção direta.**

A capacidade de abstração abre enormes perspectivas para o sistema. Trata-se de uma grande e impor-

tante aquisição. Contudo, não devemos deixar de ficar atentos ao fato de que esse avanço aumenta substancialmente a chance de nossa razão se alimentar de informações equivocadas. Sim, porque aquilo que supomos ser a idéia ou o sentimento do outro nem sempre equivale ao que ele, de fato, pensa ou sente. No entanto, mesmo acumulando informações que podem não ser verdadeiras, o jogo cada vez mais complicado e intrigante que se compõe no interior da razão se abastece de um importante manancial de dados. A não coincidência entre os conceitos que construímos por meio de nossa sensopercepção e aqueles que nos chegam pelo uso abstrato da razão gera, como registrei, a presença de duas idéias sobre um mesmo fato. **Ficamos sujeitos a uma condição até aqui totalmente desconhecida, qual seja, a existência de tensões internas, que não estão relacionadas com desconfortos de ordem física ou instintiva.** Estamos diante de novos problemas decorrentes do uso sofisticado da razão, que serão discutidos logo mais, quando for abordada a questão da moral.

Não devemos esquecer que, com o passar dos anos, nossos sentimentos e emoções tornam-se mais complexos. Sofistica-se o processo racional, e o mesmo se dá com nosso mundo emocional. O que acontece? Uma complexa interferência de nossas emoções na razão. Ou seja, as emoções não interferem apenas nas correlações simples, mas também em nossas mais importantes generalizações e conclusões acerca dos temas mais essenciais de nossa existência. **Medos, vaidade, inseguranças de**

todos os tipos, desejo de agradar a terceiros, sentimentos amorosos e de inveja são alguns dos fatores emocionais que estão presentes o tempo todo em nossa mente e interferem em nosso processo racional. Assim, a razão registra as peculiaridades do meio externo e todas as nossas dores físicas, os sofrimentos psíquicos, as tensões internas geradas pela multiplicidade de pontos de vista que podemos desenvolver a respeito de cada tema e também sentimentos e emoções que sempre nos acometem.

Dessa forma, mesmo considerando a razão e suas funções uma porção autônoma e fundamental de nossa vida íntima, não posso deixar de registrar minha crença de que, na maior parte das vezes, o curso de nossos pensamentos, assim como as conclusões que derivam deles, é fortemente influenciado por processos de natureza emocional. **A monumental interferência das emoções no processo gerador de pensamentos é a principal causa de nossos erros grosseiros, os quais nos levam aos desvios de rota que têm nos impulsionado, mais do que tudo, para a infelicidade e para a escravidão.**

Um de meus objetivos principais, ao longo de décadas de trabalho, tem sido detectar e decodificar, da melhor forma possível, como as emoções são capazes de perturbar o curso dos pensamentos racionais. Penso que, com isso, aumentaremos muito a chance de atingir o bem-estar e uma qualidade de vida melhor. Uma das dificuldades que tenho encontrado deriva do fato de que muitas pessoas têm mais fascinação por seu lado emocional do que pelo racional. Existe, entre nós, uma louvação um tanto velada que privilegia o ser humano emotivo e sentimental, idealista e abstrato, o que vem acompanhado de certo desprezo pelo senso prático, pelo realismo e pela objetividade. Poucas são as pessoas interessadas em entender melhor a lógica da razão, aquele conjunto de regras de pensar estabelecidas com o intuito de avaliar com rigor a veracidade das conclusões que extraímos da correlação entre idéias mais simples. É importante revermos essa forma de pensar, pois, se essa atitude a favor dos sentimentos e contrária à racionalidade persistir, caminharemos, como já está acontecendo, na direção do abismo. Sim, porque são exatamente nossas emoções que podem nos afastar de nossos maiores objetivos. Nos próximos capítulos, vou descrever, de modo mais detalhado, algumas dessas interferências e seus perigos, assim como apresentar sugestões de como vitalizar nossa racionalidade mais "pura", requisito para que consigamos exercer o autogoverno.

Termino este item escrevendo algumas linhas sobre a inteligência. Afora fatores específicos — aqueles que nos fazem particularmente dotados para a música, o desenho, o aprendizado de línguas, a matemática etc. —, seu componente mais geral pode ser definido como uma capacidade maior ou menor para a elaboração da correlação entre fatos, situações e idéias. As diferenças individuais são bem maiores do que aquelas que podem ser depreendidas dos índices usados para a medição de nosso Q.I. — tentativa, de validade duvidosa, de quantificar e medir de modo objetivo esse elemento de nossa subjetividade. **Seguindo a ideologia mais igualitária, tendemos a reduzir as diferenças a qualquer coisa como 50%, ou seja, a diferença de inteligência entre um criador genial e um operário comum seria dessa magnitude. Não é meu ponto de vista. Acredito que as diferenças são muito maiores e que deveríamos rever nossas idéias.**

Além disso, é muito importante refletirmos sobre como temos utilizado nossa inteligência. Poucas pessoas usam seu potencial de modo rigoroso, tentando se precaver contra a influência de emoções que, nas mais bem-dotadas, manifestam-se de forma mais sutil e difícil de ser detectada. Muitos daqueles que têm boa capacidade de correlação não desenvolveram um sentido de ordem e disciplina interior, de maneira que acabam empregando pouco suas potencialidades. Outros são prejudicados por um precário desenvolvimento emocional, de sorte que não se aprimoraram no aspecto das relações interpessoais — o que, mesmo quando portadores de boa inteligência, pode impedi-los de obter bons resultados práticos. **Temos ainda muito que refletir sobre o tema, uma vez que é grande o número de pessoas que possuem uma capacidade de correlação não tão privilegiada mas que conseguem dar plena utilidade a seu potencial.** Por outro lado, como muitas daquelas que são portadoras de potencialidade muito maior não conseguem se organizar e exercer todas as suas aptidões, atingem resultados objetivos menores do que as anteriores.

De todo modo, não penso que ser portador de uma inteligência incomum seja tão vantajoso. Como tudo na vida, trata-se de uma faca de dois gumes. Pessoas mais inteligentes têm muito mais dúvidas e estão sujeitas a um enorme número de dilemas. Vivem uma tensão interior maior do que as menos dotadas. A contrapartida é que costumam ter mais facilidade para enfrentar o mundo concreto que as cerca. São mais bem equipadas para a competição e costumam estar entre as que atingem posições tidas como de sucesso — cujos critérios podem muito bem ter sido inventados por elas mesmas.

O EGOÍSTA NÃO SUPERA AS FRUSTRAÇÕES INFANTIS, ENQUANTO O GENEROSO NÃO ULTRAPASSA AS DE CARÁTER METAFÍSICO

Nosso "computador" já nasce pronto. O "programa" vai se formando a partir dos primeiros meses e anos de vida e se sofistica ao longo da vida. Aprendemos a palavra e a vinculamos a um objeto ou situação. Depois correlacionamos os objetos e situações entre si, sempre com o auxílio das palavras que os representam. Assim que conseguimos formar frases simples, tornamo-nos capazes de formular conceitos que são correlações entre conclusões já tiradas anteriormente e formuladas sob a forma de frases. Esse processo desemboca nas idéias, que, com a capacidade de nos colocarmos no lugar das outras pessoas, permitem a formação do pensamento abstrato. Por meio da razão, que agora pode ser mais bem utilizada, vamos nos dando conta, de modo mais claro, de como é constituído o mundo que nos cerca, como são as pessoas e, principalmente, qual é nossa condição em face de tudo que registramos.

Observamos a terra, os animais, os mares, o céu, as estrelas, a imensidão do espaço. Por analogia ao que vemos em outros animais e nos outros homens, percebemo-nos mortais. Não fomos capazes, ao menos nos primeiros tempos de uso de nosso equipamento psíquico, de entender quase nada sobre a mecânica do universo. O que hoje sabemos não é suficiente para que não nos sintamos perdidos. Por mais importantes que nos considerássemos por comparação com os outros seres humanos, não poderíamos deixar de constatar a insignificância cósmica que nos caracteriza, que é a mesma que atribuímos aos outros animais. Não sabemos de onde viemos nem para onde vamos, tampouco qual é o exato sentido da vida, se existe algum significado para o fato de estarmos aqui e por quanto tempo ainda viveremos.

Tais constatações não podem deixar de nos entristecer. Não é possível que alguém, ao menos em um primeiro instante, ache interessante essa nossa condição. É provável que nossos ancestrais, diante desses fatos, tenham tratado de "inventar" uma condição humana menos ingrata, menos sofrida, mais rica de sentido e com explicações para nossas grandes dúvidas. Certa regularidade nos fenômenos físicos — fases da Lua, ritmo das marés, estações do ano etc. — deve ter contribuído para que tenham intuído a idéia de um Criador. Parece razoável que esse amontoado de peculiaridades, que não faz sentido para nós, esteja de acordo com uma vontade superior. O passo seguinte seria tentar desvendar as propriedades desse Ser superior e quais as Suas vontades. O mistério que nos cerca passou a ser chamado de "Deus", palavra que engloba a suposição de que tudo que desconhecemos é regido por essa entidade.

Como não poderia deixar de ser, o Deus que temos conseguido descrever está carregado de peculiaridades humanas. Isso tem sido usado como prova de Sua inexistência, com o que não posso concordar. Não penso que exista um velho de barbas brancas sentado sobre uma nuvem, mas não creio que os homens poderiam descrever o que não conhecem com feições que não fossem parecidas com as suas. Que Deus tenha a cara de nossos pais seria a tendência simplória de descrevermos tudo que desconhecemos a nossa imagem e semelhança. Isso não prova Sua inexistência. **Desconhecemos Suas peculiaridades e as inventamos justamente por nossa enorme dificuldade de suportar as dúvidas. Preferimos certezas um tanto primitivas às dúvidas que nos atormentam.** Com a consolidação da idéia de Deus, começaram as especulações acerca de qual seria Sua vontade em relação a nós. Como deveríamos viver para estarmos de acordo com ela? É provável que exatamente nesse ponto tenhamos inventado tudo que gostaríamos que nos caracterizasse, ou seja, usamos as suposições acerca da vontade de Deus para dar forma ao que gostaríamos de ser. Em nome dEle, construímos um sentido para nossa vida e demos significado a nossos atos e a nossa ingrata condição. Por essa via, conseguimos atribuir importância e grandeza para nossa vida, até então percebida como desprovida de sentido.

O que isso significa? Que não fomos capazes de suportar bem as constatações que fizemos acerca de nossa posição cósmica, assim como não gostamos de nos sentir parecidos com os outros animais. Tudo isso nos rebaixa e subtrai aquela dignidade especial que gostamos de nos atribuir. Passamos a negar a existência, em nós, de muitas peculiaridades, exatamente aquelas que consideramos que desagradariam a Deus — e que, em muitos casos, são as que complicam nossa vida em sociedade. Subtraímos as propriedades que nos banalizam e valorizamos as que poderiam contribuir para a construção de uma criatura portadora não só de significância, mas também de grandeza cósmica.

É bom lembrar que a resistência à aceitação dos fatos não faz que eles desapareçam, mas apenas que os afastemos de nossos pensamentos, levando-os para longe da consciência. Os fatos que foram se acumulando em algum lugar fora da consciência passaram a constituir um novo componente da razão, que funciona "escondido" dela. **Nosso "programa" rejeita dados que, por serem verdadeiros, não podem simplesmente desaparecer. Assim, vai se formando outro "programa" às escondidas, constituído por todos os fatos reais que foram rejeitados por não estarem de acordo com a expectativa que os homens passaram a ter de si mesmos.** O processo é relativo, definido historicamente. Assim, cada grupo social aceita certas peculiaridades do ser humano e rejeita outras. Cada criança que nasce naquele grupo é educada para se "desfazer do inaceitável". Essa é a origem do inconsciente, outra instância da razão, uma segunda língua, um governo paralelo que opera em nós. Reflete o fato de nunca termos conseguido aceitar como efetivamente somos, quais são nossos verdadeiros constituintes. **Temos gastado enorme energia tentando construir outro homem diferente daquele que Deus criou. E o fazemos justamente com o pretexto de satisfazer a vontade do Criador. Trata-se de contradição nada desprezível.**

Desvendar algumas partes do inconsciente é, a meu ver, projeto pouco ambicioso. A meta da psicologia deveria ser eliminar de vez essa partição interior desnecessária, que se origina da dificuldade que temos de lidar com nossas reais características. É preciso acabar com a forma de classificar as peculiaridades humanas como boas e más, porque isso tem servido para impulsionar para fora da consciência aquelas que consideramos más. Não estou pretendendo extinguir o pensamento moral. Todavia, tal reflexão tem de iniciar pela aceitação de como somos constituídos, e só nesse momento devemos pensar na maneira de conciliar nossas satisfações individuais com os anseios da vida em grupo. Esse, sim, é um de nossos grandes problemas! E é do encontro de fórmulas mais sofisticadas que dependem o bem-estar de cada um de nós, a estabilidade da vida social e a sobrevivência de nossa espécie e do planeta. As considerações acerca do que sejam virtudes e defeitos deverão partir dos fatos, ou seja, de nossas propriedades constitutivas, próprias de nossa biologia. A questão é ordená-las de forma construtiva sem negar a existência de nenhuma delas.

Se analisarmos por esse ângulo, deduziremos que o inconsciente é composto por mecanismos mais complexos do que aqueles gerados pelas repressões impostas às crianças durante o período de formação. É claro que o conteúdo do inconsciente não é obrigatoriamente repleto de componentes de natureza sexual. Eles representavam parcela muito significativa do inconsciente no fim do século XIX, época do início das reflexões de Freud, e hoje correspondem a um segmento bem menos importante, posto que somos muito mais livres e tratamos desse tema com naturalidade. O que acontece, em linhas muito gerais, é que a cultura transfere aos novos membros os usos e costumes ao longo de seus primeiros anos de vida, impondo-lhes freios que costumam ser aceitos por causa do medo de perder o afeto dos adultos que lhes são caros. Aceitar as limitações impostas pelo meio social significa, de fato, aceitar o jogo de esconder as verdades para evitar represálias indesejáveis. Em uma frase, pode-se dizer que temos subtraído dados de nosso sistema consciente com o propósito de fugir de um sofrimento psíquico que, por razões diversas, nos parece muito intenso, insuportável mesmo. Essa dor psíquica podemos chamar de frustração.

A capacidade de lidar com frustrações varia de pessoa para pessoa, do mesmo modo que não é idêntica a capacidade de suportar dores físicas. Essas variações individuais — e que talvez tenham uma base biológica inata — têm raízes em processos sobre os quais não tenho o menor conhecimento. **É fato observável que os menos tolerantes costumam reagir com maior violência à contrariedade. Muitos não suportam sequer as pequenas mazelas da vida infantil, aquelas situações de desamparo e frustração próprias da vida em família. Acabam por se fixar nessa etapa do desenvolvimento emocional, uma vez que não foram capazes de ultrapassá-la. Assim, quanto menor for a tolerância de uma criatura às frustrações e dores psíquicas de toda ordem, maior será a tendência à imaturidade emocional chamada pelos psicanalistas de narcisismo, que se caracteriza por um pragmatismo egocêntrico e egoísta, uma natureza essencialmente utilitária, sempre voltada para a resolução das necessidades elementares.**

As pessoas que suportam melhor as frustrações ultrapassaram com mais facilidade os obstáculos da vida infantil e têm comportamentos considerados mais amadurecidos. São menos impulsivas e menos revoltadas quando deparam com contrariedades; tendem a ser mais generosas, mais preocupadas com os direitos dos outros — muitas vezes de modo exagerado, a ponto de perderem de vista seus legítimos direitos. São mais sonhadoras e idealistas. Como foram além dos obstáculos iniciais, chegaram aos próximos, que se referem às questões metafísicas já descritas. Foram pessoas desse tipo que construíram os grandes sistemas filosóficos e religiosos, e seus seguidores mais conscientes são criaturas assim — os narcisistas podem seguir as doutrinas vigentes, mas a regra é que o façam de forma superficial, burocrática, e quando elas estiverem a favor de seus interesses. **A impressão que tenho é que pessoas tidas como mais amadurecidas não foram capazes de ultrapassar essa segunda série de obstáculos, de modo que trataram de encontrar, a qualquer preço, grandeza e sentido especial para a condição humana. Os narcisistas limitam-se à busca da significância relativa e se preocupam muito com a imagem que refletem e com o modo como os outros os julgam.**

Os mais generosos buscam outra saída para o mesmo dilema e acabam por perceber que sua tendência à renúncia, tanto de objetos como de certos prazeres considerados vulgares, desperta a admiração — e mesmo a inveja — de muitas pessoas não tão competentes para tais práticas. **Desenvolve-se, assim, um novo tipo de prazer – o prazer da renúncia –, derivado da sensação de superioridade e de transcendência e por meio do qual a pessoa sente que está acima das fronteiras de nossa biologia. Tal aprimoramento coincide, é claro, exatamente com o que acreditamos ser a vontade dos deuses. Assim, agir de uma forma que não está de acordo com a biologia e que é impossível para os outros animais só pode nos fazer sentir superiores, mais próximos de Deus.**

Portanto, os mais amadurecidos enveredam por uma rota que nega nossa insignificância e minimiza a sensação de desamparo própria de nossa condição mediante um conjunto de teorias e hipóteses que, ao menos em aparência, é bastante sofisticado. Usando esses mecanismos de defesa, tentam sofrer menos com as dores advindas de suas constatações sobre nosso papel no universo. Montam seus mecanismos de defesa, que, de fato, nem são tão sofisticados assim. O que não estiver de acordo com essa nova concepção acerca do homem será lixo e terá o destino tradicional, qual seja, ir para o inconsciente. Para lá vão as propriedades típicas dos animais e dos narcisistas, tais como o desejo de prazeres carnais mais imediatos, o amor pelo luxo e o direito de cuidar dos próprios interesses. Posturas assim "vulgares" deverão ser abandonadas a qualquer custo, isso sem falar da vaidade e da inveja, que não combinam com essa figura humana idealizada, que passa a tomar como modelo a divindade.

É claro que não fomos bem-sucedidos no projeto de nos livrarmos das emoções que nos são essenciais. O ser humano ferido sempre terá anseios de vingança, assim como a humilhação se dará quando nos sentirmos rebaixados em uma comparação. É grande a ilusão contida nessa postura. **Incomoda mais ainda aos olhos críticos a postura arrogante e de superioridade que tais pessoas costumam assumir, olhando de cima para baixo os "míseros mortais", que sentem e reagem como "simples seres humanos". Ao agirem assim, denunciam a enorme vaidade que as impulsiona.** Desprezaram e desprezam o mundo real, de modo que sempre sonharam com outro mundo que estivesse de acordo com suas hipóteses, belas e tentadoras, mas que não estão em sintonia com os fatos reais. Agem com desdém em relação àqueles que não compartilham seus devaneios e que são vistos como primários, pragmáticos e superficiais. Como se orgulham de não fazer concessões à realidade que nos cerca, declaram implicitamente que vivem no mundo da lua!

É absoluta minha convicção de que não serão essas as criaturas que um dia construirão uma realidade mais consistente e justa. Independentemente do que aparentam, elas estão mesmo é buscando resolver seus problemas íntimos e necessitando encontrar um significado e um sentido para sua vida que lhes dêem tranqüilidade e paz de espírito. Jamais encontrarão o que procuram, uma vez que estão muito longe daquilo que efetivamente constitui a condição humana. Elas compõem belas idéias, muito tentadoras sobretudo para os mais jovens. **Constroem utopias que jamais se realizam, simplesmente porque são fundadas em concepções falsas, que não levam em conta o homem real. As utopias que tiveram a possibilidade de se exercer na prática tenderam a se transformar em doutrinas totalitárias justamente por causa da rápida irritação de seus adeptos com a precária recepção que oferecem aos homens reais.**

Se encaminhamos nossas reflexões por essa rota, torna-se evidente que, apesar dos impressionantes avanços tecnológicos, conseguimos poucos progressos com relação às sociedades que construímos. Isso porque muitos espíritos mais sofisticados acabaram por ter seu desenvolvimento prejudicado pelo fato de não terem superado o segundo conjunto de obstáculos, aqueles que dizem respeito a nossa condição cósmica. Os que não toleraram nossas primeiras frustrações ficaram fixados no mundo real, mas com posturas oportunistas próprias daqueles que ainda não resolveram suas questões essenciais a respeito da sobrevivência física e emocional. Os que ultrapassaram esses primeiros obstáculos atolaram-se na vaidade relacionada com o prazer da renúncia e têm vivido embevecidos por suas belas idéias, que jamais nos farão evoluir. Os dois grupos padecem de invejas recíprocas: o primeiro invejando o idealismo do outro e este invejando a competência para o exercício dos prazeres carnais daquele.

Poucos foram os homens com competência e coragem para observar com realismo nossa condição e também as peculiaridades do mundo em que vivemos que mais poderiam ofender nossa vaidade — como foi o caso de Galileu. Talvez Freud tenha sido quem mais conseguiu caminhar por esse terreno árido. Isso é mais importante do que suas conclusões e os eventuais enganos que possa ter cometido; deve servir de significativo exemplo para todos nós e não pode estar, como tem estado, a serviço da idealização e idolatria do pai da psicanálise. Não é o que se espera de um verdadeiro seguidor, mas sim o aprimoramento da obra inicial, tarefa profundamente prejudicada naqueles que não se sentem no direito de contrariar o mestre. Freud foi capaz de fazer esse mergulho "para baixo" e não o vôo "para cima" próprio dos idealistas. Ele o fez com profunda amargura e é provável que tenha vivido momentos de grande sofrimento íntimo. Isso vem acontecendo com todos que têm ousado seguir essa rota em direção ao que possuímos de mais essencial, e não é rara a pitada de cinismo e de total descrença na vida. Tais pessoas se aproximaram de nossas verdades mais básicas; constataram-nas, mas parece que não foram capazes de digeri-las. Padeceram da amargura e do pessimismo próprios dos que chegam a um obstáculo percebido como intransponível.

É intensa minha convicção de que a idéia da existência de obstáculos intransponíveis está comprometida com a vaidade. O fato de não conseguirmos avançar não significa que seja impossível, mas apenas que chegamos ao limite possível para nosso tempo. Nada impede que gerações futuras sejam capazes dos avanços que nós não conseguimos empreender. Nosso papel é tentar ultrapassar o pessimismo e o gosto amargo deixado pelo conhecimento acerca de quem somos efetivamente, o que constituiu a grande tarefa dos pensadores do século XX. Se formos competentes para aceitar tais verdades sem dor tão intensa, estaremos em condições de avançar mais um pouco na direção da felicidade e da liberdade humanas, nossos maiores anseios. Ao suportarmos a dor relacionada com a maior aproximação da verdade acerca de nós mesmos, perceberemos que o sofrimento tende a diminuir, uma vez que vamos nos habituando a esses novos fatos. Começamos a ter a sensação de que é possível controlar e debelar esse sofrimento, condição que cria em nós os meios de percebermos que está surgindo uma luz no fim do túnel.

NASCER, NO SENTIDO PSICOLÓGICO, É PODER TOLERAR A DOR DO DESAMPARO

Estou cada vez mais convencido de que nossa principal questão psicológica é de natureza filosófica. Isso aparece de forma nítida naqueles mais dotados de inteligência e senso crítico, condição na qual fica muito difícil acreditar nas fórmulas prontas que visam atenuar nossas dores. Aparece de forma clara também naqueles que desenvolveram boa tolerância às frustrações e que conseguiram ultrapassar melhor os obstáculos infantis, freqüentemente tratados como nosso maior problema. É importante registrar, de novo, que os problemas relacionados com nossas primeiras vivências, entre elas o ato de nascer, são de superação dificílima, de modo que todos temos importantes marcas em nossa subjetividade que derivaram deles. A influência da forma como vivenciamos — e como superamos — essa fase manifesta-se em muitos de nossos comportamentos adultos e em nosso modo, muitas vezes equivocado, de pensar. Insisto em que as dores do desamparo vividas por uma criança que se percebe sozinha por alguns minutos são insignificantes quando comparadas com as advinhas da constatação que faremos, anos depois, de que fomos abandonados também por Deus.

Nos mais amadurecidos sobram as cicatrizes geradas pelas vivências traumáticas da infância, ao passo que nos narcisistas as feridas estão abertas. **Os principais estudiosos da psicologia contemporânea, que trabalharam na primeira metade do século XX, tomaram como referência portadores de distúrbios graves ou severa imaturidade emocional. Eram precursores de novas técnicas e foram procurados por pessoas muito problemáticas. É evidente que nesses casos a problemática infantil sobressaía, pois os pacientes estudados não haviam ultrapassado os primeiros obstáculos. Corremos um grande risco quando generalizamos com base na observação de um número limitado de casos. O risco é maior ainda se tentamos entender a psicologia normal por meio da experiência adquirida com pessoas muito enfermas.** Minha prática clínica tem sido exercida basicamente em torno das questões próprias das pessoas que não padecem de nenhum tipo mais grave de distúrbio. Observo que, para elas, as grandes questões são de natureza metafísica.

Não posso deixar de reafirmar que o desamparo infantil e aquele de natureza filosófica são muito semelhantes e vividos intimamente de forma muito parecida. Nascemos e nos sentimos desesperados, uma vez que estamos desequipados para lidar com tudo que está nos acontecendo. Nosso cérebro, já formado e sem informações, registra, perplexo, tudo que nos cerca. Nascemos sem qualquer condição de sobrevivência, a menos que sejamos cuidados nos mínimos detalhes. Somos totalmente dependentes e nos sentimos muito mal cada vez que não somos imediatamente atendidos em nossas múltiplas necessidades. A sensação de perplexidade voltará a nos perseguir diversas vezes ao longo da vida, sempre que depararmos com situações que desconhecemos.

A verdade é que estamos sozinhos o tempo todo e buscamos sempre nos agarrar a pessoas para nos sentirmos um pouco mais protegidos. Durante a infância, a sensação de desamparo derivada da solidão aparece relacionada com a ausência dos adultos que nos dão proteção. Durante a vida adulta, a sensação de desamparo continua a nos provocar dor, até porque não somos educados para aprender a enfrentá-la diretamente. Ela nos aparece em circunstâncias mais genéricas: quando confrontamos nossa insignificância cósmica, percebemos que somos mortais, não sabemos qual o exato sentido da vida etc. Tudo isso nos provoca a sensação de solidão, vazio e desespero. **Com nossa razão cada vez mais sofisticada, a dor do desamparo deixa de ser uma simples sensação e passa a ser tema de reflexão.**

É curioso percebermos que a maior parte das soluções religiosas encontradas por nossos ancestrais reflete essa mescla de vivências infantis e adultas. Assim, Deus é um pai protetor, cheio de expectativas e exigências. Somos todos iguais perante Ele. Somos todos irmãos, e a solidariedade entre os homens deveria proceder daí. Isso não significa que a questão seja simples, uma vez que em nome de Deus muito se refletiu e diversas foram as normas de ordem moral e de caráter prático que derivaram dessa matriz. A verdade é que nossa razão, curiosa e ansiosa por entender os mistérios que nos cercam, permanece ativa e à procura de soluções para as sensações dolorosas que nos acompanham ao longo da vida. Busca inspiração em nossas vivências infantis e constrói modelos de divindade baseados em suas reminiscências. **Somos adultos que vivem dilemas próprios da condição humana; por vezes, os descrevemos de uma forma que lembra nossa infância, porque a fragilidade que experimentamos em relação a nossos pais repete-se depois em relação à vida como um todo.**

As convicções religiosas que desenvolvemos representam um importante atenuador adulto da dor do desamparo e substituem parcialmente os vínculos afetivos que nos apaziguaram na infância. Durante a vida adulta, estabelecemos vínculos amorosos similares aos da infância, de modo que nos sentimos aconchegados por nosso parceiro sentimental de forma similar à que vivemos em relação a nossa mãe. Aconchegamo-nos a outros adultos e à divindade. Devemos nos acautelar dessas soluções para o desamparo, pois o modo de pensar sobre a religião no qual Deus tem uma série de expectativas em relação a nós, que precisaremos cumprir a todo custo, implica obrigatoriamente um impasse sobre o conceito de liberdade que estou defendendo. O homem teria de se comportar de acordo com uma vontade diferente da sua, inibindo muitas das manifestações espontâneas por serem entendidas como maléficas ou desagradáveis à divindade. O fenômeno repete a condição infantil, quando a criança deve abandonar várias de suas manifestações naturais a fim de não perder o afeto dos pais. Na infância, o processo está relacionado com a transferência, para cada novo membro da comunidade, dos usos e costumes estabelecidos ao longo de gerações. É procedimento útil e necessário, porque não há vida social sem a padronização de condutas tidas como essenciais. A perda de coerência não existe no processo pedagógico, pois a criança ainda não formou completamente seus conceitos nem estabeleceu seus valores. As limitações posteriores, no entanto, podem estar em franca oposição aos pontos de vista da pessoa e qualquer concessão poderá subtrair muito da possibilidade de existir com liberdade.

A relevância dessas considerações torna-se gritante quando se pensa que a maior parte dos preceitos religiosos está ligada ao prazer da renúncia. Ou seja, nossa grandeza como humanos consistiria em sermos capazes de abdicar dos prazeres do corpo e em abrirmos mão de nossos direitos legítimos em favor de terceiros. Pode ser que isso nos provoque a sensação de grandeza, de superioridade, que poderíamos atribuir — ainda que não devamos desprezar o peso da vaidade — ao fato de estarmos agindo de acordo com a vontade do Criador. Porém, ao agirmos assim, estaremos nos perdendo de nossa natureza, aumentando o conteúdo de nosso inconsciente em virtude das frustrações que provavelmente acumularemos por causa da privação de uma série de prazeres importantes. A prova de que tantas privações resultam em frustrações reside na admiração que os que vivem renunciando aos prazeres sentem pelos que sabem usufruir os prazeres frugais. Sentem inveja dos "míseros mortais", que podem se deleitar com as delícias do corpo. Ao mesmo tempo, e por estarem comprometidos com o prazer da renúncia, quando tentam vivenciar algum prazer comum, sentem-se fúteis, medíocres, menores.

Outra forma de atenuar a dor do desamparo, da qual nos servimos ao longo de toda a vida, consiste no estabelecimento de elos amorosos. Nem todas as relações afetivas implicam redução da liberdade pela via tradicional, qual seja, a ameaça de desafeto no caso de desobediência de alguma exigência do amante. No entanto, a maior parte dos vínculos amorosos, tanto entre pais e filhos como entre homens e mulheres, é de caráter condicional, em que há normas a serem seguidas para que o amor persista. **Entre homens e mulheres existem exigências recíprocas que acabam por determinar uma dominação bilateral, condição pela qual o amor, assim entendido, fica em oposição à liberdade. É claro que existe a possibilidade de isso não ocorrer, de modo que o avanço de nossos anseios na direção da individualidade está originando uma nova forma de relacionamento amoroso, em que as tradicionais concessões têm sido substituídas por respeito aos direitos de cada pessoa.**

Assim, hoje sabemos que a união amorosa entre criaturas mais afins, semelhantes tanto no caráter como nas propriedades mais elementares, porém essenciais para o convívio, pode gerar um cotidiano muito menos conflituoso, em que as exigências recíprocas são muito próximas de zero. Em virtude das semelhanças, a pessoa envolvida nesse tipo de relacionamento tem a sensação de conhecer bem o que se passa na mente do amado. Nasce uma confiança recíproca muito grande, condição que permite o exercício crescente da liberdade individual, que não é sentida como ameaça à estabilidade da união. Atenuam-se, assim, a insegurança e o ciúme, principais causas da tendência dominadora presente no amor.

Sem dúvida, a maior parte dos indivíduos não suporta o fato de estar sozinho, porque isso implica enfrentar o desespero inicial derivado da tomada de consciência de nossa condição de desamparados. Os recentes avanços tecnológicos têm determinado alterações em nosso estilo de vida, de modo que, sem nos apercebermos de modo claro, temos aprendido a ficar mais tempo sozinhos. Ficamos sós quando estamos com nossas máquinas — computadores, televisores etc. — ou viajando por razões de trabalho. Aprendemos a ir sozinhos ao cinema, ao teatro, ao restaurante, e até passamos a gostar disso, apesar de certa vergonha que talvez ainda sintamos. Trata-se de um avanço muito mais importante do que se possa supor. Sim, porque a única forma de pararmos de fazer as dramáticas concessões que temos feito, sempre com o objetivo de preservar relacionamentos afetivos altamente repressores, consiste em aprendermos a viver sozinhos e sermos capazes de atenuar, por meios próprios, a dolorosa sensação de vazio e de "buraco" no estômago que sentimos quando nos percebemos abandonados no planeta.

Não é tão difícil aprender a conviver com a dor do desamparo. Aliás, como todas as dores enfrentadas diretamente, ela tende a diminuir com o passar do tempo. Já me referi ao fato de que não deveríamos confundir a dor ocasionada pela ruptura de um elo que tenha existido por certo tempo com a do desamparo. A primeira está relacionada com a transição da situação de acompanhado para a de sozinho. **A condição estável de estar só, e é ela que deve ser chamada de solidão, corresponde a uma dor inicial que se atenua com facilidade maior do que podíamos imaginar. No passado, nem ousávamos chegar perto dessa situação, que era enfrentada apenas em razão de alguma tragédia, na qual a solidão nos era imposta.** Talvez hoje estejamos mais preparados emocionalmente em virtude do que observamos a nosso redor. É fato que dispomos de muitos recursos práticos prazerosos que se exercem individualmente. Além disso, a condição social das pessoas que vivem sozinhas melhorou muito. Os solitários não são mais objeto de escárnio e o ficar só não é mais motivo de vergonha. Sua qualidade de vida tem melhorado depois do surgimento dos modernos recursos anticoncepcionais, da comida congelada, do forno de microondas etc. **É interessante notar que essa vida boa dos solteiros acaba por determinar uma importante pressão para**

melhorar as condições conjugais. O casamento, para continuar a ser atraente, terá de determinar uma qualidade de vida melhor do que aquela que as pessoas poderiam levar sozinhas.

Quando lutamos para evitar a dor do desamparo, tentamos nos apegar a pessoas ou a convicções religiosas, mesmo que isso envolva a criação de obstáculos intransponíveis para nossa liberdade. Se nosso objetivo é sermos livres, é necessário enfrentar o desamparo e aprender a suportá-lo, não por gostarmos do sofrimento, mas por ser essa a rota que nos permitirá o fim das concessões e da aceitação revoltada de todo tipo de repressão que venham a nos impor de fora. Em uma comparação com o ato físico de nascer, pode-se dizer que o nascer no sentido psicológico corresponde ao estado que atingimos quando podemos nos sentir como unidade quando estamos sozinhos, pois somos capazes de tolerar a dor do desamparo. **O nascimento psicológico implica que nada será mais importante do que a dignidade pessoal e que o número de concessões que se poderá fazer, até mesmo em nome do maior amor, será limitado. Nascer significa poder viver sozinho, e isso é sinônimo de afirmar que a pessoa preferirá estar só a mal acompanhada.**

Quando a pessoa pode perfeitamente viver sozinha, ela terá cumprido os pré-requisitos necessários para estar em condições de estabelecer os vínculos amorosos plenos e de máxima gratificação. Estes são os melhores atenuadores da dor do desamparo, que já estará suportável antes mesmo do encontro afetivo. O amor assim sofisticado, já descrito páginas atrás, só é possível para as pessoas que tenham completado com rigor e firmeza seus processos de individuação. O caminho que antecede o encontro é longo, de modo que não é difícil compreendermos por que o amor de qualidade, na prática, sempre foi fenômeno tão raro.

Se uma pessoa não tolera bem a dor do desamparo, não terá outra saída senão viver fazendo concessões. Terá de satisfazer as expectativas do parceiro e do meio social e aceitar os limites impostos por sua religião, mesmo que tenha certas dúvidas a respeito. Não é raro que ela subestime a relevância daquelas concessões e a gravidade de suas conseqüências íntimas. Poderá pensar que tais restrições a sua espontaneidade não são tão sérias assim, que não alteram de forma relevante sua forma de ser etc. Temos de nos acautelar quanto ao uso desses argumentos, um tanto superficiais, que estão a serviço do auto-engano. A verdade é que muitas vezes nos sentimos obrigados a renunciar por causa de nossas fraquezas. Não estou me referindo às várias concessões banais que, evidentemente, fazemos o tempo todo. É curioso notar que muitas das pessoas que mais têm de ceder nas questões fundamentais são as que mais resistem às menores e mais irrelevantes renúncias — o que demonstra prepotência e criancice, além da tentativa de camuflar a real fragilidade íntima. O fato é que quase todas elas abrem mão de posturas que lhes são caras, de verdadeiras convicções, somente para manter afetos que lhes parecem vitais. Cometem vários erros lógicos, constroem pensamentos superficiais e falsos apenas para justificar suas necessidades emocionais, quais sejam, a de não ficarem sozinhas em hipótese alguma e a de não terem de deparar com a dolorosa sensação de desamparo. Nesse caso, interessam muito os argumentos aparentemente fundados no pensamento religioso que defendem a renúncia, o sacrifício e as concessões. Porém, se elas ultrapassarem determinado limite, não haverá mais coerência interna, de modo que a reflexão e suas conclusões provavelmente serão falsas e inúteis, se não nocivas.

A INSIGNIFICÂNCIA DA CONDIÇÃO HUMANA É A MAIOR OFENSA A NOSSA VAIDADE

Podemos avaliar a nós mesmos e a nossa condição simultaneamente segundo dois sistemas de referência: nossa posição no universo e também diante de nossos semelhantes. De acordo com o primeiro referencial, teremos de concluir pela absoluta insignificância de nossa condição. Se estivermos sentados sozinhos em uma praia em uma noite estrelada e olharmos para cima, não poderemos deixar de vivenciar a sensação de total falta de importância que temos perante o cosmo. A consciência de nossa insignificância provoca uma sensação terrível e ao mesmo tempo agradável e apaziguadora, uma vez que determina enorme diminuição das pressões que costumamos colocar sobre nós mesmos. Desse ponto de vista, somos todos iguais e, mais que isso, muito próximos a um valor zero!

Na outra forma de nos avaliarmos, comparamo-nos

com os outros seres humanos. Aqui a situação se inverte radicalmente. **Conforme o padrão relativo, somos muito importantes para um bom número de pessoas. Temos significado afetivo e nossa presença ou ausência ocasiona modificações enormes no estado de ânimo daqueles que estabeleceram vínculos conosco.** Todo referencial relativo depende de um critério de valores de acordo com o qual cada um de nós será classificado. Assim, pelo critério que estivermos usando, poderemos nos reconhecer como iguais, superiores ou inferiores a essa ou aquela criatura com a qual estejamos nos comparando. Podemos nos reconhecer com determinado valor perante outra pessoa, enquanto esta poderá nos dar um valor diferente daquele que nós atribuímos a ela e a nós mesmos. Portanto, o sistema de valorização relativo que usamos pode gerar complicados desencontros na avaliação que fazemos de nós mesmos — quase sempre menor do que o valor real ou o valor que os outros nos dão — e naquela que atribuímos aos outros — quase sempre maior do que o valor real ou o valor que os outros dão a si mesmos.

Desse aspecto relativo, somos todos diferentes uns dos outros, e essas diferenças costumam ser mais marcantes do que parecem à primeira vista. Se imaginarmos que nascemos com um cérebro peculiar, que estivemos submetidos a vivências próprias e que interpretamos tais experiências de uma forma que é só nossa, poderemos concluir que não existem duas pessoas que pen-

sam exatamente igual e que atribuem valores e significados idênticos para palavras e coisas. Não gostamos de pensar dessa maneira um tanto radical, porque é um tipo de raciocínio que nos remete a uma consciência de nossa absoluta e radical solidão, o que determina o surgimento da dor do desamparo, da qual tentamos fugir — ou pelo menos atenuar.

É interessante lembrar que essas marcantes diferenças tornam-se irrelevantes quando nos voltamos para o referencial absoluto, segundo o qual somos todos iguais e totalmente insignificantes. Não deixa de ser curioso podermos nos avaliar de duas formas radicalmente opostas. **Não são poucas as confusões que derivam dessa duplicidade de juízos, ambos corretos, que podemos fazer de nossa condição. O fato de sermos todos iguais perante Deus — padrão absoluto de comparação — costuma ser usado para minimizar as efetivas diferenças que existem entre nós e que são observáveis com facilidade quando usamos um critério relativo de valores.**

A falta de rigor na separação entre os dois critérios de avaliação da condição humana costuma levar a maior parte das pessoas a uma postura intermediária, em que são subestimadas as diferenças individuais, uma vez que somos todos iguais no contexto absoluto. Trata-se, a meu ver, de grave engano, que pode conduzir a uma série de desdobramentos nocivos, como às hipóteses acerca da construção de uma ordem social justa; isso porque mentes bem-intencionadas e idealistas só podem imaginar uma ordem social igualitária — que, da ótica teórica, seria a mais justa de todas — se desprezarem as drásticas diferenças observadas com facilidade entre as pessoas. **A diminuição da importância de nossas diferenças tem conduzido a proposições também homogeneizadoras quanto ao estilo de vida individual, fazendo-nos crer que estamos todos igualmente preparados para a vida conjugal, para um estilo de trabalho competitivo e ambicioso, para determinado padrão de sexualidade e assim por diante.**

Não é impossível que, em muitos aspectos, o pensamento religioso tenha tentado fazer um caminho peculiar: atenuar a dramática insignificância cósmica que nos caracteriza e nos atribuir um papel destacado como filhos diletos da divindade. Assim, não seríamos tão insignificantes "cosmicamente" nem tão diferentes quando comparados uns com os outros. Confusões desse tipo não terão utilidade para aqueles que objetivam um modo de vida mais livre. O fato é que nossa condição cósmica é de total insignificância, e talvez essa seja a mais grave e irreversível ofensa a nossa vaidade, que está sempre nos pressionando para a busca de algum tipo de destaque e notoriedade. Podemos conseguir alguma coisa perante os outros homens, mas não diante do universo.

Acredito que exista uma importante correlação entre o nível de consciência de nossa insignificância cósmica e a busca de destaque segundo o padrão relativo. Os indivíduos que percebem melhor sua condição perante o universo sentem-se mais ofendidos em decorrência de

sua pouca importância. Essa ofensa funciona como uma rolha empurrada para dentro da água, ou seja, determina uma força para cima de grande intensidade. Em outras palavras, penso que existe uma correlação direta entre a inteligência, que permite uma visualização melhor de nossa condição, e a manifestação intelectual da vaidade.

A relevância dessa correlação não pode ser subestimada. A vaidade costuma ter manifestações mais intensas e explícitas nas pessoas mais belas e atraentes. Aqui ela está se expressando dentro do território que lhe pertence, qual seja, o corpo. No caso da vaidade associada à dor que deriva da consciência de nossa insignificância absoluta, ela se acopla a processos intelectuais, que deveriam estar totalmente livres desse ingrediente erótico. **O acoplamento da vaidade aos processos intelectuais pode ter desdobramentos muito negativos em nosso modo de pensar.** Como a produção intelectual mais sofisticada acaba por influir na forma de ser e de pensar de toda a população, esses erros — próprios das elites, que, pelo simples fato de se aceitarem como tais, já estão contaminadas com a vaidade — terão repercussão negativa sobre o modo de vida de toda a comunidade.

Os indivíduos mais inteligentes, os mais machucados pela consciência da insignificância de nossa condição, se reconhecem diminuídos por isso, mas também se vêem como mais bem-dotados, como superiores, em comparação com os outros seres humanos. Portanto, sentem-se ao mesmo tempo inferiores e superiores. A ofensa derivada da insignificância determina neles uma busca desenfreada de destaque em relação aos outros membros do grupo social. Gostam muito de se sentir privilegiados, portadores de propriedades especiais que os distinguem da grande maioria da população, em relação à qual se sentem importantes e, eventualmente, responsáveis — o que não deixa de ser uma manifestação, não muito sutil, de superioridade.

O destaque poderá se concretizar pela via material ou intelectual. A vaidade se exerce de modo idêntico em ambos os casos. Desfilar com um carro precioso e muito cobiçado determina destaque equivalente ao que se consegue dando demonstrações de conhecimento e saber incomuns. A pessoa sobressai mostrando delicadeza e requinte nos modos, na postura, nas boas maneiras. A competência para apreciar comidas e bebidas sofisticadas costuma ser igual nos intelectuais e nos milionários. Os dois grupos posicionam-se socialmente como criaturas superiores; o que dizem não é entendido pelas pessoas comuns, de modo que parecem sobre-humanos. A análise um pouco mais acurada desses comportamentos não é muito favorável aos que os praticam, pois dão claros sinais de interferência da vaidade no raciocínio e no bom senso.

As elites, tanto aquela que se pretende intelectualmente mais sofisticada como a que busca o destaque material, vivem em constante competição. Os que pleiteiam o sucesso material incomum são os opressores diretos e mais sutis dos menos dotados, utilizando-os como força de trabalho para gerar maiores riquezas, que farão que sejam mais notados por seus pares e pela elite intelectual. Levam uma vida nada fácil, uma vez que estão sendo continuamente julgados uns pelos outros e podem se sentir muito mal quando seus conhecidos — não se pode falar em amizade em um clima assim competitivo — obtêm resultados muito melhores do que os seus. **Dessa forma, os opressores vivem oprimidos, preocupados com o julgamento que os outros fazem a seu respeito.**

O outro grupo de elite é composto por indivíduos inteligentes que, ao se sentirem inferiorizados em decorrência da avaliação que fizeram de nossa condição, trataram de exercer suas facilidades intelectuais a fim de obter destaque social pela via do conhecimento. Estão buscando remédio para seus males pessoais, e não raramente atropelam os menos dotados. A grande diferença entre as pessoas desse grupo e as do anterior é que passam por cima delas pensando que estão lutando em seu benefício — a elite do dinheiro sabe perfeitamente que está usando o povo como força de trabalho. O próprio fato de se colocarem como os defensores dos oprimidos já tem um tom de superioridade. São os heróis salvadores que exercem sua vaidade e, sem perceberem, agem de modo a humilhar aqueles que pretendem salvar. Acham que sabem o que é melhor para o povo em geral, e isso não é um bom indício de respeito nem de consciência das drásticas diferenças entre os indivíduos. **É claro que essas duas elites se digladiam o tempo todo, disputam a primazia e o poder, exercem controle, se oprimem e se humilham re-**

ciprocamente. As peculiaridades psicológicas das pessoas que as compõem não são muito diferentes, de modo que se podem esperar comportamentos muito semelhantes de ambos os grupos.

Além dessa disputa interna entre as elites, que gera um processo de opressão e competição maior do que o que se verifica na população em geral, existe mais uma forma pela qual os opressores se oprimem, qual seja: para satisfazer a vaidade e neutralizar a dor da insignificância, essas pessoas se dispõem a assumir o maior número possível de responsabilidades, sobrecarregando-se de preocupações e tensões. Não espanta, pois, que são os opressores, que poderiam ter uma qualidade de vida ótima, os que mais freqüentemente padecem de doenças psicossomáticas e estão mais sujeitos a doenças degenerativas precoces — hoje eles se cuidam para evitar esses males, o que implica um estilo de vida menos prazeroso e repleto de limitações. A excessiva responsabilidade social, tanto dos causadores da opressão direta como daqueles que se posicionam como os salvadores dos oprimidos, que vão libertá-los da condição tão injusta, traz importantes limitações à liberdade individual. **O conceito de liberdade fica altamente prejudicado quando acoplado à noção de exagerada responsabilidade social. Essa associação envolve arrogância das elites e menospreza a capacidade e o direito de todas as pessoas de interferir em seu destino.**

Sintetizando, nossa insignificância cósmica é definitiva e muito difícil de ser tolerada. Buscamos significância relativa por intermédio de algum tipo de destaque em relação aos outros seres humanos. Aquele que não aceitar bem e se conciliar com a "humilhação" derivada da insignificância tenderá a supervalorizar sua importância relativa. Para atingir seu fim, usará qualquer meio que lhe seja acessível, de acordo com suas peculiaridades. O que tiver em comum com os que estiverem percorrendo o mesmo caminho é que estabelecerá uma exagerada noção de dever e responsabilidade, que se manifestará tanto naqueles que administram seus privilégios como nos que se esforçam de modo heróico — e aparentemente mais digno do ponto de vista moral — para salvar os oprimidos.

É chegada a hora de refletirmos de forma mais objetiva, estabelecendo uma separação definitiva entre os dois referenciais e não levando conclusões e frustrações derivadas de um para o modo de pensarmos sobre o outro. **A insignificância cósmica e a finitude da vida terrena são um fato que devemos aceitar e digerir. Ao fazermos mais esse avanço, passaremos a conhecer uma sensação muito agradável de relativa "irresponsabilidade", de termos de zelar apenas por nós mesmos e contribuir de modo singelo para o bem-estar coletivo, de não sermos obrigados a realizar grandes proezas, porque já sabemos que nem tudo está em nossas mãos.** Se nos colocarmos dessa maneira, por certo nossa qualidade de vida melhorará muito. Não precisaremos mais assumir brutais responsabilidades — muitas vezes inúteis — só para nos sentirmos importantes ou mesmo indispensáveis nem nos sobrecarregar de trabalho para receber um dinheiro que não necessitamos — e que ainda por cima fará falta a outras pessoas. Poderemos começar a pensar e a reavaliar a vida de forma nova, em que nem tudo terá de ser importante e útil.

O prazer assim puro ganha um espaço novo, desconhecido do psiquismo governado pela vaidade. Sim, porque a vaidade é um prazer erótico que, para se exercer, costuma nos impor uma importante supressão de vários outros prazeres mais singelos ligados ao simples existir. Ela pode se manifestar de maneira singela quando tem que ver com o prazer de se exibir fisicamente; sabemos que isso é mais verdadeiro sobretudo para as pessoas mais belas. Quando sua satisfação depende do destaque obtido em virtude de alguma conquista rara, trata-se de uma forma de manifestação extraordinariamente exigente. O prazer erótico relacionado com a vaidade costuma estar presente nos procedimentos que pedem o sacrifício e a renúncia, condição na qual parece que nos tornamos superiores a nossos pares e mais próximos da divindade. Os equívocos acerca desse modo de vida são óbvios, uma vez que nos prejudica a pretexto de atingir prazeres maiores em um momento futuro que poderá ou não chegar. É fundamental lembrarmos que, em nome de nossa vaidade, costumamos achar que temos mais condições de saber o que é melhor para nossos semelhantes, especialmente para aqueles que consideramos mais humildes e menos dotados.

Temos de nos ater a nossos limites e nos ocupar mais de nossos prazeres pessoais. Por mais sofisticado que seja nosso equipamento psíquico, ele é incompetente para saber o que se passa na mente alheia. Como são grandes as diferenças individuais, o respeito passa a ser um requisito fundamental. Não devemos sequer supor quais sejam os anseios dos outros, que deverão ser consultados diretamente.

É oportuno fazer aqui uma observação sobre o perigo presente nos processos comparativos que derivam da busca de significância relativa. Eles se dão segundo um código de valores estabelecido por dado grupo social, e as pessoas serão classificadas de acordo com esse código. Beleza, inteligência, generosidade, facilidade no trato social e domínio sobre a agressividade, dentre outros, costumam fazer parte dessas normas. Cada um se posicionará quanto a tais propriedades e fará o mesmo com as pessoas com as quais convive e com aquelas que vier a conhecer. Chegará a conclusões variadas, sentindo-se ora superior a determinadas pessoas, ora inferior a outras. Ao se sentir superior, poderá experimentar piedade ou desprezo. Ao se sentir inferior, tenderá a experimentar a inveja, acompanhada ou não de manifestações concretas de agressividade. Assim, não vejo nenhum benefício derivado desse sistema de nos compararmos uns com os outros, além de isso reforçar um importante ingrediente agressivo nas já precárias relações entre as pessoas. Se for verdade que somos muito diferentes — que é a hipótese que defendo —, todo o sistema de comparação será um erro lógico, uma vez que não se comparam qualidades diferentes. Reafirmo que a única comparação que nos convém fazer é a que diz respeito a nós mesmos: que avaliação faço de mim hoje em dia quando me comparo comigo mesmo alguns anos atrás.

Não pretendo considerar a hipótese de tentarmos nos livrar da vaidade, ainda que reconheça ser um importante fator de complicação para nosso bem-estar. Ela é parte de nosso instinto sexual, de modo que precisaremos aprender a direcioná-la melhor. Ela pode e deve ficar fora das nossas reflexões acerca de nossa insignificância cósmica. A humilhação vivenciada por muitas pessoas mais bem-dotadas acaba por determinar a intromissão da vaidade em um processo que deveria ser fundamentalmente racional e lógico. No entanto, mesmo no caso da significância relativa e na busca de destaque em comparação com outras pessoas, gostaria de registrar que esse não é o único caminho. Considero nossa sexualidade um fenômeno essencialmente pessoal, em que os "outros" são muito pouco relevantes e, desse ponto de vista, eles o são apenas para determinar as excitações que gostamos de sentir. Assim, não creio que seja obrigatório uma pessoa se avaliar como superior a outra para que vivencie os prazeres da vaidade. O indivíduo pode muito bem se sentir eroticamente gratificado apenas pelo exercício de sua extravagância, por exercer livremente suas peculiaridades e seus gostos, e isso independe do julgamento que esteja fazendo dos outros e vice-versa. O prazer exibicionista exige observadores, mas é pouco importante quem são, o que representam ou o que estão pensando a respeito. Essa preocupação — muito intensa em tantas pessoas — com o julgamento dos outros pode ser pensada como uma deturpação cultural do prazer de se destacar, que acabou acoplado a um sistema de valores construído de modo arbitrário e, por isso mesmo, de utilidade discutível.

Sendo verdadeira a seqüência de raciocínio que venho fazendo, podemos concluir que a vaidade, por si, não é impedimento para a liberdade humana, nem mesmo para que se possam estabelecer grupos sociais mais justos. Nossa vaidade ganha conotação negativa quando se intromete nos processos racionais, sobretudo naqueles que dizem respeito a nossa posição perante o universo e nossos pares. A vaidade torna-se mais intensa para tentar neutralizar nossa insignificância cósmica, o que é um grande erro! **A insignificância e o desamparo correspondem a verdades que têm de ser aceitas e não neutralizadas. Fazem parte das regras do jogo da vida e podem torná-la, depois da devida aceitação, uma aventura fascinante, na qual a incerteza que a caracteriza é responsável pela forte emoção que o desconhecido provoca.** Por outro lado, a vaidade torna-se muito nociva quando transforma nossas relações interpessoais em permanente comparação. Temos de nos opor a esse tipo de engano da razão que serve para nos fazer sentir mais importantes do que as outras pessoas para que possamos nos achar menos insignificantes. É claro que esse processo relacionado com comparações entre as pessoas é reforçado pelo jogo de interesses econômicos altamente empenhado em acirrar nossas tendências competitivas.

Se, mesmo depois de adultos, continuamos a lidar mal com o sofrimento derivado do desamparo próprio de nossa condição, em geral lidamos pior ainda com a consciência de nossa insignificância. A busca de importância a qualquer custo parece ser a principal meta a ser atingida. Os erros de avaliação advindos dessa precária aceitação de nossa realidade costumam ser maiores nas pessoas mais inteligentes. Buscam importância acumulando responsabilidades, criando um código de valores que lhes favorece; fazem de tudo para se sentir acima da média dos mortais e responsáveis por eles. Ao procederem assim, afastam-se irremediavelmente da possibilidade de serem criaturas livres. **Não deixa de ser irônico observar que aqueles que poderiam usar sua potencialidade para atingir a liberdade sejam oprimidos pelos próprios erros de avaliação.** Não suportam os pensamentos, as coisas e as situações mais simples, porque isso lhes provoca o desespero característico da consciência da insignificância mal elaborada e não aceita. Buscam sempre situações nas quais possam se sentir importantes, especiais, fazendo coisas muito relevantes e, se possível, inacessíveis à maioria da população. Mesmo assim, nem sempre escapam do tédio e não raramente só conseguem suportar tais situações embebedando-se. **Entretanto, não perdem a pose. As pessoas que não têm acesso a uma vida tão "maravilhosa" e**

"glamourosa" podem continuar a sentir forte inveja dos chamados "bem-sucedidos", cuja infelicidade é igual ou maior do que aquela verificada nos oprimidos, pois, além de todo o sofrimento, ainda têm de dar a impressão aos outros — e aí, outra vez, são escravos da vaidade — de estar se divertindo muito e aproveitando a vida como ninguém.

O MEDO DA FELICIDADE ESTÁ NA ORIGEM DE NOSSA TENDÊNCIA DESTRUTIVA

A seqüência de reflexões que venho fazendo ao longo deste livro dá idéia da dimensão das dificuldades que teremos de superar se quisermos nos colocar próximos da condição de sermos livres. Deixa claro quanto não posso acreditar nos atalhos, sempre atraentes, já que prometem a salvação instantânea e fácil. Podem funcionar como placebos intelectuais, do mesmo modo que uma pílula de talco pode induzir o sono em um bom número de crédulos. Os placebos não duram muito e logo a realidade dos fatos acaba por trazer as pessoas para o ponto no qual haviam começado. **As propostas contidas nesta obra correspondem às tarefas de uma vida, são parte de um projeto difícil de atingir, mas que pode muito bem nortear todo o esforço, cotidiano, dirigido para o autoconhecimento.**

Já sabemos que o homem é um ser que foi capaz de — e obrigado a — autofabricar o "programa" que alimenta seu sofisticadíssimo "computador", que lhe chegou vazio e pronto para operar desde o nascimento. Assim, não temos domínio tão consistente sobre o funcionamento de nossa razão, condição na qual ela pode muito facilmente estar sujeita a influências variadas, sobretudo as determinadas por estados emocionais que podem nos induzir a graves enganos e a conclusões inverídicas. **Além de nossa dificuldade de lidar com a razão, ainda temos de evitar que sejamos levados por caminhos inadequados que nos surgem como tentadores, porque sugerem que poderíamos evitar as dores relacionadas com a frustração. Essa tendência de nos desviarmos da rota com o intuito de evitar frustrações pode ser grave, pois muitas delas precisam ser enfrentadas.** Quando é esse o caso, os desvios que fazemos para evitá-las podem ter conseqüências desastrosas para nosso futuro desenvolvimento emocional.

Assim, temos de aceitar o desespero que a consciência do desamparo metafísico nos provoca, ao menos nos primeiros momentos. Se não soubermos lidar com essa dor, nos precipitaremos na direção dos vínculos amorosos de forma indiscriminada e pouco crítica, cujos desdobramentos são os tradicionais elos em que a dominação recíproca determina sofrimento maior do que aquele que se pretende evitar fugindo da solidão. Devemos nos acautelar também contra a tendência de cometermos os enganos filosóficos e morais que nos levam a buscar grandezas e sintonia com os deuses, quando nos apegamos ao que parece ser a superação da condição humana, porque nos leva a renúncias e sacrifícios nada próprios dos outros animais. Depois, será necessário aceitar nossa insignificância cósmica e evitar o procedimento típico das pessoas mais inteligentes, que é tentar neutralizá-la por meio de uma significância relativa. Se não conseguirmos escapar dessa tendência, ficaremos escravos da vaidade e agiremos de modo pouco empático e desrespeitoso em relação aos outros seres humanos, o que terá conseqüências negativas no convívio com eles.

Como se não bastassem esses obstáculos, quando as coisas de nossa vida objetiva e subjetiva dão sinais de estarem indo bem, percebemos que somos criaturas que sabem sonhar com a felicidade, mas que morrem de medo desse estado. Trata-se de uma fobia irracional, já que a felicidade não aumenta a chance de sermos vítimas de coisas negativas. Tal medo se estabeleceu provavelmente no momento do nascimento, da expulsão do "paraíso". **O que acaba acontecendo é que cada vez que, apesar de todos os obstáculos, conseguimos nos aproximar da conquista de algum objetivo — ainda que parcial ,— começamos a sentir um medo difuso indefinido que pode muito bem nos apavorar e nos induzir a algum engano banal e grosseiro justamente quando estamos prestes a atingir nossa meta.**

O medo da felicidade é o último obstáculo à liberdade humana, um dos importantes aspectos de nossa felicidade. É o último a se manifestar porque aparece exatamente quando estamos nos aproximando do estado que sempre sonhamos alcançar. Se, apesar dos tropeços e contratempos, estamos conseguindo atingir uma condição de alegria e serenidade interior, somos acometidos por um pânico enorme. O pavor interfere em nossa forma de raciocinar. Surgem as tentativas, um tanto precárias, de explicar o que está acontecendo, as razões para um medo aparentemente sem sentido. Tais tentativas são a raiz do pensamento supersticioso em geral e das frases típicas dessas horas, tais como: "Alguma coisa ruim vai acontecer, pois não é possível que tudo continue tão bem como está" ou "A inveja das pessoas ou a ira dos deuses acabarão por atrair hostilidades contra nós".

Repito o que já disse anteriormente: um dia vivemos a paz no útero, que era o único registro que nosso cérebro tinha até pouco tempo antes do nascimento; o segundo registro corresponde à brutal ruptura dessa harmonia, que acontece ao nascermos. Ao nos aproximarmos novamente da harmonia, passamos a temer um novo furacão, que agora não é mais o nascimento, mas a morte ou alguma outra forma de destruição. O que acontece? **Nós mesmos, ainda que muitas vezes de forma inconsciente, tomamos certas iniciativas desnecessárias, cujo resultado final se mostra destrutivo. Assim, acaba se confirmando a "profecia" de que "não há bem que sempre dure", de que a alegria e o bem-estar não poderiam mesmo durar muito tempo.** O que poucos compreendem é que somos nós mesmos os responsáveis pela instabilidade da situação, e a causamos com o objetivo de atenuar o medo ilógico que estava crescendo cada vez mais. Assim, nossa razão consciente apavora-se e aquela que alimenta o inconsciente toma as atitudes cabíveis para o caso, ou seja, destruir parte da felicidade atingida com o propósito de que reencontremos a serenidade mínima.

As manifestações de natureza destrutiva são muito variadas, mas quase sempre se enquadram em um desses dois modelos: ou se trata de uma ação diretamente destrutiva, tanto de forma concreta como por meio de processos imaginários, ou, então, a destrutividade esconde-se por trás de um processo tentador pelo qual pensamos que conseguiremos uma quantidade ainda maior de satisfação — as chamadas "tentações do demônio". Os exemplos são variados. Uma pessoa que sai da loja com um carro novo sente um pavor de batê-lo muito maior do que sentia com seu carro velho; é como se esse perigo tivesse crescido, e o que cresceu é o medo da felicidade; se não tomar muito cuidado, vai mesmo batê-lo na coluna da garagem de seu prédio, condição que extingue o medo da felicidade por acabar com o motivo da felicidade. O exemplo mais claro das destrutividades imaginárias é o da hipocondria, em que pessoas muito felizes no amor e nas questões de trabalho podem se fixar em um sintoma físico e achar que são portadoras de alguma doença grave que lhes causará a morte prematura e inoportuna.

As tentações do demônio são muitas, mas as mais freqüentes são de natureza sentimental e sexual, assim como as relacionadas com avanços econômicos. Por exemplo, um homem feliz e bem casado pode se apaixonar por uma mulher que não lhe é tão adequada. Esse encantamento às vezes é determinado por um fascínio sexual particularmente importante em relação à amante, que, nesse aspecto, com facilidade interessará mais do que a esposa, ao menos em uma fase inicial. O resultado final será sempre destrutivo, seja porque ele sofrerá para se afastar da amante, seja porque padecerá das dores derivadas do fato de ter se afastado da esposa e da família, que também o gratificavam. Quanto ao dinheiro, um indivíduo rico e bem posicionado em geral põe tudo a perder quando se dispõe fazer um avanço inoportuno e desnecessário em seus negócios. O dono de uma grande indústria pode achar imprescindível construir outra muito maior e fazê-lo em um momento inadequado. Mesmo que seja bem-sucedido, terá se apertado financeiramente por anos a fio e padecido de angústias e tensões para ganhar um dinheiro que provavelmente jamais gastará.

Fica claro, com esses poucos exemplos, que a razão e o bom senso podem falhar calamitosamente e de modo nem sempre fácil de diagnosticar. Essas falhas nos afastam muito da conquista de nossos objetivos. Elas são manifestações de nossa tendência destrutiva, que não é instintiva nem definitiva, mas sim relacionada com o brutal pavor da felicidade que existe em todos nós e cujos desdobramentos não devem ser subestimados. A tendência destrutiva corresponde ao desvio da rota lógica e apropriada que nos levaria a atingir dado objetivo, o qual é impulsionado pelo medo difuso — sobre o qual não costumamos refletir adequadamente — que nos assola quando estamos chegando perto daquilo que tanto queremos.

Podemos nos enganar ao pensar que agregaremos mais felicidade se dermos mais um passo na direção em que estamos tendo sucesso; depois descobriríamos que, de fato, ele nos faria perder boa parte do que foi conquistado — se não tudo. Podemos nos enganar também pelo caminho inverso, qual seja, o de nos afastarmos de dada conquista porque começamos a sentir um medo difuso muito intenso e inesperado que imediatamente associamos à proximidade de algo ruim. Essa é a primeira hipótese que nos vem à mente, a que aparece como a mais lógica, já que coisas boas não devem provocar medo; este deve estar surgindo por estarmos adentrando um solo minado. **No entanto, na linguagem do inconsciente, desse segundo sistema de pensamento que existe dentro de nós e que teremos de aprender a decodificar rapidamente, condições muito boas podem provocar medo em virtude do reflexo condicionado relacionado com o trauma do nascimento, ao qual já me referi.** Se formos simplórios e pensarmos apenas do modo a que estamos acostumados, tenderemos a nos afastar da coisa boa que estava nos provocando o medo. Teremos atingido exatamente o objetivo do psiquismo governado pelo medo da felicidade, ou seja, teremos fugido daquilo que é bom para nós e nos dirigido para algo pior.

Ao nos tornarmos conscientes da existência desse mecanismo de medo da felicidade, seremos capazes de refletir, em cada caso concreto, para saber se deve-

remos nos afastar de dada situação, porque ela será, de fato, negativa, ou nos aproximar dela apesar do medo, pois se trata do medo irracional, que é, em verdade, prenúncio de coisa boa. Como temos medo dos perigos reais e das situações relacionadas com a paz e o sucesso, é conveniente usarmos nosso discernimento para saber que situação estamos vivendo. Não é tarefa fácil. De todo modo, todas essas reflexões só se tornam possíveis quando sabemos que somos portadores do medo da felicidade. **A consciência da existência de determinado processo psíquico não faz que ele desapareça, mas nos proporciona os meios para podermos nos posicionar melhor.**

Nem sempre é fácil decifrarmos qual a postura mais correta a ser tomada diante de certas situações tratadas diferentemente pelas pessoas em geral e por seu grupo social. Os erros de raciocínio capazes de determinar desvios de rota podem acometer grupos inteiros, de maneira a registrar um padrão social de conseqüências negativas. Em casos como esse, fica difícil nos posicionarmos e sabermos se estamos fugindo do que é bom ou não. Vejamos um exemplo, o mais simples e comum: uma vida voltada para o luxo e a ostentação costuma ser tratada como condição prazerosa e de grande privilégio. Se uma pessoa tiver muito medo de viver segundo esse padrão, socialmente valorizado, mesmo que tenha os meios materiais para isso, poderá se sentir covarde, pouco competente para o usufruto dos prazeres da vida, atribuindo a covardia à incapacidade de superar o medo da felicidade. Essa explicação pode ser verdadeira em alguns casos, parcialmente verdadeira em outros — ou seja, ser um dos ingredientes de uma explicação mais complexa e motivada por várias razões — e totalmente falsa em outros, ainda.

Na hipótese em que o medo da ostentação é parte de uma explicação mais complexa, o mais comum é a pessoa sentir-se culpada por seus privilégios em comparação com a condição média da população, notadamente em grupos sociais muito heterogêneos. Costuma sentir-se melhor para usufruir seus privilégios quando está longe de seu hábitat costumeiro, em viagens, por exemplo — e é exatamente por essa razão que muitos gostam de viajar. Dentre os motivos que podem levar um indivíduo a não se sentir bem e a fugir de uma vida luxuosa e de ostentação porque acredita que isso é o melhor e o torna mais feliz ressaltam dois: o primeiro é o temor, justificado, da hostilidade invejosa, que poderá afastar de seu convívio muitas pessoas queridas, que se sentiriam mal pela exagerada diferença social. A manifestação mais imediata e geral derivada dessa hostilidade é de natureza violenta, uma vez que pessoas que demonstram ter muito dinheiro estão mais sujeitas a assaltos e seqüestros, ou seja, existe um risco efetivo e crescente na ostentação material. O segundo motivo gerador de uma vida mais discreta está relacionado com o desejo da pessoa de privilegiar os prazeres imediatos no lugar da vaidade. São muitas as que se sentem mais gratificadas por viver uma vida material discreta, em vez de voltada para o luxo; vêem mais prazer nas coisas simples, gostam mais das comidas e bebidas típicas de seu povo, sentem-se melhor vivendo um cotidiano sem requinte, preferem roupas práticas às mais sofisticadas etc. É possível que determinem outro tipo de gratificação da vaidade que não se distingue de suas outras manifestações, a não ser por ter, talvez, um pouco mais de bom senso.

Estas são ponderações interessantes porque nos informam acerca da complexidade da questão, assim como nos dão a dimensão do esforço que ainda teremos de fazer se quisermos rever nossos conceitos e atribuir o peso devido a cada um dos fatores constituintes de nossas reflexões a respeito de todos os temas fundamentais da existência. **O importante aqui é reafirmar que o medo da felicidade é o motor da destrutividade humana. Não acredito em uma tendência destrutiva de natureza instintiva, algo como um "instinto de morte". Temos sido vítimas dessa curiosa fobia, presente em todos nós, mas nem por isso instintiva. Se conseguirmos atenuar seus efeitos, processo que se inicia com a consciência de sua existência, poderemos dominar nossa tendência autodestrutiva. Isso determinará grande avanço na direção da felicidade e da liberdade humanas.** O avanço será maior ainda se à superação parcial do medo da felicidade pudermos acrescentar a progressiva aceitação de nossa condição cósmica e sofisticarmos nossa capacidade de dominar a interferência de emoções nos processos racionais. Temos de, repetida e constantemente, nos certificar daquilo que pensamos, saber se são reflexões que nos pertencem, se foram "inoculadas" em nós pelo meio social ou instigadas por sentimentos íntimos duvidosos e, principalmente, se estão livres da perigosa influência da vaidade, sempre pronta a contaminar todos os nossos atos e pensamentos.

A aventura que temos pela frente parece-me cada vez mais fascinante, apesar de não devermos subestimar as dificuldades. O sucesso da empreitada depende muito de conseguirmos utilizar nossa razão de forma isenta, sem as perturbações dos elementos que tenho apontado. Depende muito de sermos capazes de raciocinar de modo simples e direto sobre aquilo que é melhor, mais agradável e prazeroso para cada um de nós, respeitados, é claro, os direitos dos outros. Quero dizer o seguinte: é necessário fazermos bem as operações mais elementares, apesar de termos sido dotados de um "computador" altamente sofisticado.

NOSSO PRINCÍPIO BIOLÓGICO BÁSICO É A BUSCA DO PRAZER

Minhas ponderações objetivam mostrar como certas peculiaridades de nossa forma de raciocinar podem nos induzir a erros de conseqüências danosas para nossa qualidade de vida. Já me referi aos desvios de rota que nos são impostos pelo medo da felicidade e aos enganos que derivam da vaidade exacerbada em decorrência da má aceitação da insignificância cósmica própria de nossa condição. Farei agora mais algumas considerações envolvendo esse ingrediente, subproduto complexo de nosso instinto sexual, que se esparrama por nossa mente e determina a vontade de sermos permanentemente criaturas importantes, úteis e indispensáveis. Gostamos de viver governados por esse estado de espírito, de modo que só vez ou outra — e, mesmo assim, apenas por alguns minutos — conseguimos lembrar que tudo isso é inverídico e que, ao morrermos, logo seremos esquecidos. Não pensamos a respeito dessas verdades um tanto óbvias porque elas nos provocam forte dor psíquica, que poderá gerar em nós uma sensação que se aproxima do desespero.

Como poucos suportam conviver, ainda que por certo tempo, com essa sensação de desespero, a maioria de nós trata de olhar para a vida de um ângulo que nos seja um pouco mais ameno. Ao nos atribuirmos importância e utilidade, sentimo-nos mais serenos e com mais orgulho de nós mesmos. Esse mecanismo implica desdobramentos mais graves do que podemos supor à primeira vista, uma vez que traz consigo uma forte motivação que nos leva a complicar raciocínios e reflexões. **Tendemos a fugir das coisas mais simples — e que não nos tornam nem muito importantes nem úteis — e ficar fascinados por tudo que é intrincado e difícil, cuja resolução nos provoca a sensação de grandiosidade tão necessária a nossa vaidade e para que possamos considerar nossa condição humana mais digna e emocionante. Acrescemo-nos de grandezas ao mesmo tempo que nos afastamos de muitas de nossas peculiarida-**

des mais essenciais, que são óbvias e, até certo ponto, elementares.

As situações sentidas como agradáveis e prazerosas são registradas como menores por serem desprovidas de qualquer significação especial e por não conterem obrigatoriamente algum tipo de grandeza. **São "apenas" situações agradáveis e prazerosas!** Situações complicadas, com muitos obstáculos e perigos, são associadas a sensações subjetivas bem mais agradáveis, porque estão em sintonia com nossa vaidade. Vivenciar esse estado de alma exaltado, porque rico em importância e superioridade, é o que mais agrada à grande maioria dos indivíduos com inteligência superior, aqueles que, segundo minha opinião, já anteriormente expressada, são os mais desesperados pelo fato de não conseguirem atribuir um significado transcendental a nossa existência. **Essas pessoas são fascinadas por dilemas intrincados e de difícil solução, muitos dos quais fabricados por elas: criam o problema para depois tentar dar-lhe uma solução. Sentem desdém por tudo que é simples e direto.** Detestam até aqueles textos diretos e de fácil entendimento; preferem os escritos complicados e ininteligíveis, pois acreditam que eles contêm verdades maiores.

É importante nos atermos à gravidade e magnitude dos enganos que têm sido cometidos em virtude dessa postura intelectual que busca tentar atribuir grandeza a nossa condição por meio da criação de dificuldades e complicações que talvez não sejam inerentes a ela. **Ao caminharmos dessa forma, direcionaremos nossa reflexão com base no fato de que as grandezas que bus-**

camos são mais facilmente encontradas no domínio do sofrimento, nos casos em que renunciamos aos prazeres imediatos. Podemos passar a agir assim não tanto por nossas convicções acerca da vida em sociedade nem por razões de natureza religiosa, mas para fazer surgir em nossa vida íntima a agradável sensação de superioridade e importância. Quando penso seriamente sobre os enganos que podemos ter cometido em decorrência desse apego ao sofrimento e dessa dificuldade de vivermos no domínio do prazer, reafirmo minha impressão de que, um dia, deveremos repensar quase tudo que foi pensado e escrito sobre nós ao longo de toda a história.

A busca do prazer é tendência biológica essencial em todos os mamíferos, entre os quais nos incluímos. Fugimos da dor e do desprazer e procuramos nos aproximar daquilo que nos aparece como agradável. Acontece que nós, humanos, em virtude de termos a razão que nos faz conscientes de nossa condição, acabamos desenvolvendo outro processo psíquico que passa a competir com a tendência biológica que nos impulsiona para o prazer. Ao vivenciarmos uma situação agradável por um tempo mais ou menos longo, passaremos a registrá-la como tediosa, fútil, e isso nos conduzirá a um estado de tristeza derivado, provavelmente, do fato de que nossa razão, pouco utilizada em uma situação objetiva positiva e mais fácil, se volte para pensamentos relativos à banalidade da condição humana. Ou seja, é justamente quando poderíamos estar aproveitando a situação de prazer que nos lembramos de nossas verdades insuportáveis. **Ao percebermos que tais pensamentos negativos nos chegam com mais freqüência e facilidade nos momentos de relaxamento e de maior prazer, o que ocorre? Tornamo-nos contraditórios: passamos a buscar o prazer e a fugir dele ao mesmo tempo.**

O medo da felicidade nos impulsiona para mais longe ainda nos casos em que o prazer é muito intenso. Por exemplo, uma pessoa que não gosta de seu trabalho poderá passar anos sonhando com a aposentadoria, com o período em que terá condições de fazer tudo aquilo com que sempre sonhou e que nunca teve tempo e disposição para vivenciar. Ao chegar a tão sonhada aposentadoria, é provável que ela entre em depressão. Esse estado inesperado deriva do fato de que se rompeu o equilíbrio psíquico entre a quantidade de prazeres e sofrimentos que cada um de nós é capaz de suportar. Em vez de ficar feliz, o indivíduo poderá se sentir inútil, sem importância, "uma carta fora do baralho". Além da ofensa à vaidade, que nunca deve ser subestimada, ainda existe a enorme disponibilidade psíquica para tratar da questão existencial que, para a grande maioria, corresponde à dor, ao sofrimento e, por vezes, ao desespero. Assim, parece que temos mais facilidade em sonhar com a aposentadoria do que em vivenciá-la como condição positiva. Não espanta, pois, que as pessoas tendam a postergar a chegada do dia em que terão acesso ao merecido descanso. **Fugimos do prazer proporcionado pela fartura de tempo livre porque sabemos que essa**

condição poderá deixar nosso psiquismo muito disponível para pensar em coisas que talvez nos entristeçam mais do que o tedioso trabalho.

Seguindo o mesmo raciocínio e continuando a usar o trabalho como referencial do processo psíquico que estou tentando decodificar, muitas pessoas sentem que odeiam seu trabalho apenas para que possam continuar a exercê-lo. Sim, porque se tomarem consciência de que gostam — e muito — daquilo que fazem, não mais poderão usá-lo como uma espécie de sacrifício, de expiação, pela qual se sentirão engrandecidas e mesmo merecedoras de regalias e recompensas. Para nós, as atividades que implicam sacrifícios são mais dignas, importantes e úteis, enquanto as prazerosas são mais fúteis e banais. Ao nos iludirmos pensando que não gostamos do trabalho, ganhamos duas regalias e evitamos a contradição que vivemos entre a busca e a fuga do prazer: ao odiarmos o trabalho, poderemos nos dedicar a ele de corpo e alma sem nos sentirmos diminuídos e, além disso, com direito a todas as recompensas que derivam dele. Assim, sentimo-nos importantes, temos direito a recompensas e, ainda, ao nos ocuparmos por muitas horas todos os dias, afastamos o pensamento das questões que tanto nos entristecem.

Nossa razão está sempre à procura de soluções para seus dilemas, mesmo para aqueles que ela mesma gerou — como é o caso da fuga das situações de prazer que praticamos para não depararmos com nossas dores existenciais. Não temos podido usar nossa inteligência de forma simples, voltada para o encontro de fórmulas mais fáceis para a resolução dos problemas. **Deixamos de buscar o prazer, meta que compartilhamos com os outros animais. Passamos a perseguir os chamados objetivos úteis, aqueles que estão a serviço de alguma finalidade e que não obrigatoriamente determinam sensações agradáveis. O desvio de rota é bastante marcante. Daí para a frente, tudo terá de servir a alguma finalidade e responder à pergunta: "Para quê?"**

Eis um exemplo esclarecedor: uma pessoa que, nas férias, resolve viajar para a praia, não costuma fazer isso apenas porque acha o programa prazeroso e agradável. Para poder sair por uns dias, terá de sentir-se merecedora: estar exausta, à beira de um colapso por causa do estresse do cotidiano etc. Deverá aproveitar as férias para repousar e se recuperar do desgaste que tem sofrido, o que elevará seu rendimento profissional ao reassumir suas funções. Na praia, não praticará esporte por prazer, mas porque ele contribuirá para a melhoria de sua saúde e para ajudá-la a se livrar do estresse adquirido. Se houver um jogo competitivo, será essencial ganhá-lo. O jogo de cartas à noite será sempre mais atraente se a aposta for em dinheiro; a finalidade não é só desfrutar o prazer de se entreter com algo banal, é vencer.

Portanto, mesmo as atividades prazerosas por si mesmas são muito mais facilmente exercidas quando associadas a alguma finalidade concreta. Nossa razão tende a recusar atividades praticadas apenas por prazer. Não vemos graça nelas e só nos apaziguamos

quando a elas relacionamos alguma utilidade e, de preferência, importância. Já enfatizei meu ponto de vista de que a intenção dessa deturpação do processo de pensar que nos afasta do prazer como fim em si mesmo deriva da necessidade que temos de fugir do desespero gerado pela consciência de nossa condição, em especial de nossa insignificância perante o cosmo. Para conseguirmos fugir dessa dor psíquica, afastamo-nos da possibilidade de viver de forma simples, na busca direta daquilo que nos seja agradável. Conseguimos nos tornar importantes, só que à custa de vivermos uma condição desprovida de prazeres; caso contrário, ela não terá importância.

Acabamos por pagar um preço muito alto para não nos sentirmos insignificantes. Isso nos traz infelicidade e, além disso, não nos livramos do fato de que a insignificância é um dos aspectos que definem nossa condição. Se aceitarmos nossa insignificância, as perspectivas que se abrirão para nós serão tão amplas e gratificantes que não tenho dúvida em encaminhar minha reflexão por essa estrada. Ao aceitar viver mais próximo de minhas verdades, ganho o direito de usufruir os prazeres da vida de maneira mais direta e simples. Meu grande limitador será ter de respeitar iguais direitos das outras pessoas, o que não me parece uma restrição dolorosa. Assim, se uma pessoa que adora a vida à beira-mar conseguir abandonar suas idéias de grandeza e importância, poderá planejar sua mudança para um local desses e passar a desfrutar suas delícias o ano inteiro e não somente durante os poucos dias de férias.

É clara, pois, a importância desse tema para a questão da liberdade. A possibilidade de atingirmos tal estado fica definitivamente comprometida se a busca do prazer estiver interditada e for sempre substituída pela procura de alguma finalidade ou significância. Isso determinará a permanente necessidade de renúncia a situações agradáveis atuais em favor de objetivos importantes e úteis projetados no futuro. **O presente perde-se em favor do futuro. O princípio da vida adulta passa a ser o da renúncia aos prazeres imediatos. Freud ressaltou a importância da capacidade de renúncia ao prazer imediato em favor de prazeres maiores esperados para um momento posterior. Também considero essa capacidade de renúncia ao prazer imediato uma conquista do psiquismo das crianças por volta dos 7 anos. No entanto, esse indício de maturidade e de domínio sobre si mesmo pode se transformar em um comportamento capaz de dar dignidade e vigor lógico a sucessivas e desnecessárias renúncias ao prazer imediato em nome de recompensas futuras que nunca chegarão** — e que, se porventura acontecerem, serão objeto de nova renúncia, que gerará nova postergação de um usufruto que não conseguimos tolerar.

É importante refletirmos profundamente acerca de qual a porcentagem de tempo, dinheiro e disposição física do presente que devemos sacrificar em nome do futuro. Nem sempre a renúncia corresponde à maturidade. Por exemplo, se um jovem deve economizar 50% do que recebe hoje para construir seu futuro patrimônio, não tem o menor cabimento que uma pessoa de 60 anos poupe mais do que, digamos, 15% de seus ganhos. O futuro estreita-se e a postergação dos prazeres torna-se cada vez menos consistente do ponto de vista do bom senso. Saber abrir mão de algo hoje em favor de benefícios maiores no futuro — que corresponde à substituição do princípio do prazer pelo que Freud chamou de princípio da realidade — é uma importante conquista nossa, fruto de uma razão atuante e forte. Não agir com ponderação quanto a esse aspecto da vida constitui uma grave limitação, na qual o prazer se encontra interditado, porque não sabemos como lidar com nossas maiores dores, que costumam nos atingir quando estamos em repouso e bem.

Não é difícil perceber os desdobramentos socioeconômicos desse tipo de utilização de nossa razão. **A renúncia aos prazeres imediatos em favor de benefícios futuros tem relação direta com o modo pelo qual a sociedade como um todo pensa sobre si e a respeito dos avanços técnicos e do progresso que podem derivar daí. Tal renúncia é também o princípio da poupança, da acumulação de capital e tem a ver com o agravamento das desigualdades sociais.** A maior parte das poupanças jamais é usufruída, uma vez que o prazer maior está na renúncia, no sacrifício e não no gastar e aproveitar dos privilégios que elas poderiam trazer. Ao levarmos em conta a vaidade, sempre presente, compreendemos que são muitas as pessoas que apenas sentem o prazer de possuir e, por meio disso, se destacar das demais. Nesse contexto, em que os fatos que descrevi determinam o estilo de vida de todos nós, entendemos por que o bom senso e a racionalidade são tão escassos.

Nosso cérebro contribui para esse processo de fugir daquilo que é fonte de prazer e se aproximar do sacrifício e do sofrimento por causa do medo que temos da paz e do bem-estar, pois nos remetem às dores da existência, que sempre estamos tentando evitar. **O fato é que nossa razão está muito mais treinada para nos ajudar a resolver problemas do que para qualquer tipo de usufruto de prazeres. Assim, de forma espontânea, prestamos mais atenção ao que está indo mal e somos mais displicentes com aquilo que vai bem.** Esse reforço na direção do sacrifício pode ser exemplificado com o que acontece com nossa saúde. Quando estamos bem, nos regozijamos pouco com isso. Só valorizamos a saúde se a perdemos. Quando ficamos doentes, aí, sim, nos sentimos arrasados e experimentamos sentimentos terríveis. Ao nos recuperarmos, ficamos alegres por alguns dias e logo depois voltamos a nos preocupar com outras coisas que porventura não estejam indo tão bem. Só nos lembramos do que está sendo fonte de alegria quando fazemos um esforço ativo para isso. Temos de lembrar que estamos em boa situação financeira, ao passo que a falta de dinheiro nos persegue de dia e de noite. **Talvez por isso as pessoas pobres pensem que o dinheiro é tudo e os ricos achem que o dinheiro não traz felicidade!**

A forma como utilizamos a razão provavelmente tem

relação com nossa fisiologia e com os mecanismos de sobrevivência, além de termos sido educados para aprendermos a nos valer do sacrifício e da renúncia com o objetivo de conseguirmos benefícios futuros. Contudo, os balanços de vida que costumamos fazer acabam por superdimensionar o que temos de negativo e tendem a desqualificar o positivo. É provável que o prazer que sentimos durante a transição de uma situação ruim para outra melhor seja de duração menor do que a dor que acompanha a transição na direção oposta. Pode ser que o fundamento fisiológico que explique isso tenha sido reforçado por nossos condicionamentos culturais, que nos levam a fugir do prazer por comprometê-lo com futilidade — além do medo da felicidade que se ativa sempre que estamos nos sentindo muito bem.

Fugimos do prazer por termos aprendido a sacrificar parte do presente em favor do futuro. Fugimos também porque gostamos de nos envolver em empreendimentos que chamamos de úteis e cuja finalidade nós mesmos inventamos. Registramos como mais importante tudo aquilo que não possuímos e desprezamos quase tudo que temos. Não espanta quanto temos vivido, mais do que tudo, em condições de infelicidade, sentindo-nos miseráveis por dentro e atribuindo isso à condição humana. Ao mesmo tempo que nos queixamos, nos envaidecemos e nos sentimos poderosos por termos capacidade de suportar tantos "sofrimentos", ficando claro que muitos deles foram inventados por nós mesmos. Quando penso sobre esses graves auto-enganos que

geram problemas que depois não conseguimos resolver, lembro-me de uma frase que ouvi há anos: "Não há solução porque não há problema".

É ARBITRÁRIA A CONCEITUAÇÃO DO QUE SÃO O BEM E O MAL

Tenho registrado, de modo insistente, minha crença de que porção significativa de algumas das mais sofisticadas construções teóricas de natureza filosófica e religiosa padece de equívocos derivados da má elaboração de alguns aspectos de nossa condição. **Muitas das mais belas idéias que fomos capazes de produzir ao longo dos séculos, atraentes pela grandeza e requinte de raciocínio, não têm se provado verdadeiras e exeqüíveis na prática da vida. Talvez seja essa a razão pela qual jamais prevaleceram em nosso cotidiano. Não creio que tenhamos nos aprimorado por termos tido acesso a tão belas idéias, mas sim nos perdido ainda mais quanto a nossas reais possibilidades de evolução, além de termos nos tornado um pouco mais hipócritas, tentando manter a aparência de estarmos agindo de acordo com elas.** Algumas pessoas exercem às escondidas aquilo que não é tido como motivo de orgulho nem é dignificante. Outras tentam verdadeiramente se livrar de certas características remetendo-as ao inconsciente, que se enriquece daquelas verdades que se esforçam por negar.

Nosso psiquismo aprendeu a registrar como medíocre e fútil o modo de vida agradável e como grandioso e útil o modo de vida sacrificado. É possível que muitas tenham sido as razões que nos impulsionaram a pensar — e mesmo a sentir — dessa forma. Uma delas tem que ver com a atenuação de nossa condição de insignificância: sentimo-nos mais relevantes do que os simples animais e os outros seres humanos quando somos capazes de agir em direção contrária à natureza e vamos ao encontro do sacrifício e da renúncia. Essa conduta antinatural atiça nossa vaidade, nos faz sentir especiais e até mais significantes do ponto de vista cósmico. É verdade também que nos condenamos ao sofrimento e carregamos boa dose de infelicidade.

Essa foi a alternativa de muitas das pessoas mais inteligentes, que, como já afirmei, foram as que mais se sentiram ofendidas por nossa real condição. Outras pessoas, também dentre as mais inteligentes, fizeram uma opção diferente: negligenciaram o referencial cósmico, absoluto, que nos reduz a quase nada e buscaram a glória e o destaque relativos, tratando de se diferenciar dos demais seres humanos. Preferiram as glórias terrenas, buscando o poder e a riqueza material, usufruindo as vantagens que tal privilégio pode trazer. Tornaram-se mais competentes para o exercício dos prazeres imediatos do que aqueles que se apegaram aos prazeres relacionados com a renúncia. Construíram os grandes impérios, enquanto os primeiros dedicaram-se mais à construção dos sofisticados sistemas de pensamento.

Venho tentando entender esse processo gerador de duas posturas antagônicas entre as pessoas mais inteligentes desde meu trabalho *Em busca da felicidade*, de 1980. Tendemos a preferir e a considerar como mais evoluída a postura daqueles que se dedicaram ao usufruto do prazer da renúncia, que se sentiam superiores e buscavam a transcendência por intermédio do sacrifício e do sofrimento. Tendemos a acreditar que essa manifestação da vaidade é de natureza mais requintada. Posturas que derivam dessa premissa básica passaram a ser vistas como virtudes, e não deixa de ser importante registrar que a classificação foi feita pelas pessoas que agem assim. **Ou seja, consideraram como virtude o próprio modo de ser e como vício toda conduta que estivesse em oposição a ele. De acordo com os "virtuosos", a capacidade de perdoar os que nos ofenderam por serem menos evoluídos e de abrir mão dos prazeres da carne, a generosidade e a negação da importância dos bens materiais, entre outras, definem os procedimentos que mais podem engrandecer e enaltecer a condição humana.**

É interessante relembrar que nossas primeiras renúncias não se deram em decorrência da vaidade. Abandonamos objetos ou privilégios em relação aos quais tínhamos legítimo direito por medo, talvez, de algum tipo de represália derivada da defesa insistente do que era nosso, porque estávamos em disputa com alguém mais forte do que nós ou, então, porque temíamos a perda de algum afeto muito importante — **diversas crianças tornam-se dóceis até demais por medo de perderem o amor da mãe. Muitas vezes, tendemos à renúncia por causa de sentimentos de culpa, aquela tristeza resultante do fato de nos reconhecermos geradores do sofrimento de outra pessoa.** Ao percebermos que aquele que nos pede algo que nos pertence poderá ficar muito triste se não cedermos a sua pressão, talvez não consigamos suportar a dor que imaginamos pode causar nele e, nesse caso, entregamos o que é nosso.

De todo modo, abrimos mão do que sabemos ser nosso de direito porque não sabemos lidar com o medo de represálias físicas, afetivas ou morais — como é o caso da dor que nos invade quando nos sentimos culpados com ou sem razão. O medo é uma fraqueza. Aos poucos, de tanto sermos elogiados por nossa capacidade de renunciar — que não tem nada de virtuosa —, passamos a nos envaidecer de possuí-la. **Está composto o prazer da renúncia, que deriva do acoplamento da vaidade a algo que inicialmente estava relacionado com uma fraqueza. Assim, graças à vaidade, o que era deficiência transformou-se em força especial!**

Não podemos dizer que uma reflexão moral alicerçada nesse tipo de fundamento tenha boa chance de ser bem-sucedida e de contribuir para que tenhamos uma postura realista e gratificante. Parte de um pressuposto falso, pois atribui a nós possibilidades que, de fato, não temos. Não somos capazes, por exemplo, de perdoar a quem nos feriu ou nos traiu; podemos compreender sua ação, se for o caso, e não agir em represália, mas dificilmente continuaremos a nos relacionar com ele como se a deslealdade não tivesse ocorrido. **Além do mais, o pensamento moral que disso decorre acaba nos levando para muito além daquilo que seria necessário para reprimir as tendências anti-sociais presentes em nós;**

ele nos impulsiona para a "purificação", para a renúncia aos prazeres da carne com o intuito da transcendência, de nossa elevação rumo à aproximação da divindade. Fazemos isso em nome de uma suposta "vontade dos deuses".

Tal tipo de reflexão nos traz a idéia de que a vida é um jogo: somos expostos, por deliberação divina, ao bem e ao mal, assim classificados de acordo com a regra anteriormente descrita, e a nós cabe nos afastar do mal, apesar de tendermos a nos encantar por ele. O virtuoso, que é o vencedor, consegue se desvencilhar de seus desejos em direção ao mal. Poucos são capazes de se sair bem nessa disputa sobre-humana, que resulta mesmo em um importante reforço de nossos sentimentos de inferioridade, de nos sentirmos muito aquém do que deveríamos ser.

Uma das conseqüências negativas desse tipo de pensamento que cria uma expectativa assim elevada — não atingida por ninguém — é a tendência que temos de diminuir a diferença entre os que agem de modo digno e aqueles que não o fazem. Por exemplo, quando uma pessoa é respeitosa e preocupada com os direitos dos outros, mas, em virtude de suas peculiaridades humanas, também comete seus pequenos pecados, ao praticá-los, parece que se iguala àquelas que, muito pouco respeitosas, cometem pecados maiores. É como se houvesse apenas uma diferença quantitativa, em que um tira nota 7 e o outro 4 — e o 10 da plena virtude não é acessível a ninguém. Se tivéssemos uma postura mais realista e atribuíssemos o papel de virtuoso ao que tira 7, estaríamos diante de uma diferença qualitativa: os virtuosos e aqueles que não o são. Essa postura, fundada em um aparente rebaixamento das expectativas de natureza moral, descreveria com mais propriedade aquilo que observamos e seria importante motor para um efetivo avanço moral da população em geral. Para mim, é essa a direção que seguiremos neste século.

Reafirmo minha convicção de que poderíamos nos satisfazer com uma única regra moral para as questões da vida prática: temos de atribuir a nós mesmos e aos outros direitos iguais. O resto corresponde a construções teóricas duplamente perigosas, uma vez que se baseiam no medo, que costuma ser maior nas pessoas "virtuosas", além de estarem a serviço do reforço dos sentimentos de inferioridade e da idéia de que, não existindo "virtuosos", somos todos "farinha do mesmo saco". Apesar de poder determinar sensações de superioridade que tão bem fazem a nossa vaidade, o fato é que a generosidade corresponde a uma arbitrariedade moral de porte idêntico ao egoísmo. Sim, porque são peculiaridades complementares, uma realimentando a outra. **Enquanto existir generosidade, existirá egoísmo, visto que é a "virtude" que reforça e alimenta o "defeito", argumento suficiente para sua desqualificação moral.**

Assim, os caminhos que temos percorrido com o objetivo de definir os padrões éticos que devem nos nortear não têm sido os mais bem escolhidos. Temos avançado menos do que poderíamos, tanto individual como coletivamente. Quando existem erros no modo de raciocinarmos, eles se manifestam nas proposições de ordem prática que daí derivam. Meu ponto de vista é que o erro essencial foi a opção que fizemos pela transcendência, buscada por meio da renúncia, do sofrimento e da infelicidade. Essa opção surgiu de nossa fragilidade psicológica, de nossa incompetência para lidar de forma mais direta com as grandes dores que cercam nossa existência. **Ao pretendermos avançar rumo à liberdade, uma das tarefas que teremos de enfrentar será a da revisão e "desconstrução" desse tipo de reflexão moral.** Não devemos subestimar o modo como esses conceitos estão impressos em nós e em nosso cérebro. Estamos profundamente marcados por ponderações morais assim construídas, de modo que qualquer tentativa de revisão será vivenciada, ao menos inicialmente, como um rebaixamento, um empobrecimento moral. Sentiremo-nos como se estivéssemos piorando e nos enfraquecendo. Sim, porque reaparecerá a dolorosa sensação de insignificância, da qual temos tentado fugir ao nos iludirmos com as belas idéias e os ideais por meio dos quais esperamos transcender nossa condição.

Seguindo essa seqüência de pensamentos, concluímos que o bem e o mal não existem, a não ser como uma classificação arbitrária, construída pelos homens "bons" — nome que eles deram a si mesmos! Como pessoas de boa vontade, acreditaram em seus pensamentos e nas conclusões que extraíram deles. Qualificaram suas deduções como sendo o bem, de modo que os pensamentos divergentes passaram a ser entendidos como o mal. **É forte nossa predisposição para tais enganos pretensiosos: nós, pessoas de bem, que acreditamos ser honestas intelectualmente, costumamos usar a nós mesmos como o padrão de referência daquilo que é virtuoso.** Essas conclusões egocêntricas têm sido usadas, ao longo dos séculos, para julgar cada nova geração. O fenômeno da repetição dos mesmos enganos durante tantos séculos se explica pelo fato de que nossas propriedades subjetivas, ligadas ao incompleto desenvolvimento emocional, têm permanecido inalteradas. Acredito que só agora estamos em condições de pleitear esse avanço, que terá conseqüências muito positivas, constituindo a base do renascimento moral de que tanto necessitamos.

Os indivíduos que costumam viver de acordo com o usufruto dos prazeres imediatos, buscando o destaque pelas glórias terrenas que lhes determina a sensação de importância segundo o padrão relativo de comparações, no íntimo sentem-se um tanto inferiorizados. Muitos não vivem desse modo por convicção — nem sempre optaram por esse tipo de destaque —, mas porque não se sentiram com forças para as renúncias exigidas pelos padrões rigorosos de nossos valores milenares. **Aceitaram ser classificados como maus. Invejam os bons, aqueles que tiveram a força, a disciplina e o vigor que lhes faltaram.** Não se reconhecem com força para mudar de postura, além de se sentirem encorajados — e em dúvida — pelo fato de serem invejados por aqueles que se comportam mais de acordo com o padrão moral vigente.

É nesse ponto que estamos, e tenho a sensação de que é urgente superarmos a dualidade e imperioso irmos para além do bem e do mal. Não acho que a solução seja buscarmos outras categorias que ultrapassem essas duas. Penso que devemos nos conscientizar de que temos mesmo é de desqualificar essa forma de pensar sobre o tema da moral. Precisamos nos livrar, apesar de nossa enorme dificuldade, desse tipo de dicotomia e nos ater simplesmente ao sentido de justiça. **O justo não é generoso nem egoísta, tampouco pretende a transcendência ao se beneficiar do esforço de terceiros; não quer se destacar em virtude de sua competência para a renúncia aos prazeres nem por ter mais bens e poder do que as outras pessoas; o que ele quer é trocar, dar e receber na mesma medida, cuidar de seus direitos, que são idênticos aos das outras pessoas.** No justo, o pensamento moral está livre da vaidade e não a serviço de atenuar as dores da vida — que deverão ser enfrentadas de uma vez por todas.

Finalizo essas considerações sumárias acerca da questão moral fazendo menção a outro modo usual de as pessoas julgarem umas às outras. Trata-se da divisão entre pessoas racionais — práticas, frias e calculistas — e emocionais — humanas, sensíveis e, em geral, incapazes de conter seus sentimentos. Tal divisão costuma ser aplicada pelos indivíduos que se consideram mais emocionais e que "acusam" os que são diferentes deles de "frios" e "racionais", em particular quando se recusam a aceitar suas pressões e chantagens. Aqui a classificação, ao menos aparentemente, favoreceria as pessoas mais descontroladas emocionalmente, mais imaturas e com menos capacidade de suportar as dores e frustrações que a vida prática nos impõe. O favorecimento deriva da forma pela qual se costuma usar a palavra "racional", que, especialmente nas décadas finais do século XX, designava uma postura contida e de repressão das emoções próprias dos racionalistas de tempos passados. Assim, parecia que ser criatura mais emocional e descontrolada era ser mais moderna, evoluída.

Nada disso é verdadeiro. O antagonismo entre razão e emoção é falso e superficial. O indivíduo mais amadurecido é portador de uma rica vida emocional perfeitamente controlada pela razão, que em nada se opõe a ela. Assim, é sinal de grande maturidade ter a capacidade de se controlar, de não agir de modo intempestivo em situações de violência e em outros momentos da vida prática. Pessoas mais descontroladas não são mais sensíveis, mas apenas mais descontroladas. As que gritam com facilidade não são as que sentem mais profundamente as dores de dada situação, mas apenas mais barulhentas. Aliás, elas nunca deveriam atribuir a si mesmas uma condição de mais ou menos sensíveis, pois não dispomos de equipamento para medir sensibilidade!

Além disso, não há motivo para acharmos que razão e emoção estão sempre em antagonismo. Muitas são as condições nas quais elas estão em sintonia, e isso é mais verdadeiro à medida que as pessoas ganham mais idade, amadurecem emocionalmente e se tornam mais competentes para os prazeres e para o estado de felicidade. É curioso observarmos também que, talvez até em decorrência da inveja, as pessoas mais bem-sucedidas são comumente "acusadas" de racionais, frias e calculistas. É indiscutível que ter uma atitude mais ponderada acerca dos fatos aumenta a chance de sucesso, mas não é verdadeira a afirmação de que os perdedores são os mais sensíveis. Costumam ser perdedores porque se comportam de forma intempestiva e descontrolada e não porque são mais emotivos. Pessoas emocionais e com bom controle racional são as que têm melhores chances de acertar o passo na vida prática.

5

O MEIO SOCIAL E A QUESTÃO DA LIBERDADE

cinco

PRECISAMOS AVANÇAR RAPIDAMENTE NA DIREÇÃO DA LIBERDADE PARA TENTARMOS EVITAR A HECATOMBE

Nem sempre encontro facilidade em entender e avaliar com mínima precisão a sucessão de acontecimentos que temos acompanhado desde o fim da Segunda Guerra Mundial. **Se, de um lado, parece que temos experimentado uma liberdade crescente quanto aos costumes e ao modo de vida privado, de outro, temos assistido a uma forte tendência à padronização dos hábitos e interesses. Não consigo ver com clareza se estamos caminhando rumo à liberdade individual ou a um tipo novo de totalitarismo, cuja principal característica é homogeneizar o modo de vida de pessoas que até há pouco viviam segundo costumes extraídos de seus ancestrais.** A globalização da economia vem trazendo também a globalização dos gostos e estilos de vida. A situação tem sido mais ou menos esta: estamos mais livres do que em qualquer outra época e mais do que nunca nos interessamos exatamente pelas mesmas coisas, comemos as mesmas comidas, assistimos aos mesmos noticiários e nos fascinamos pelos mesmos objetos de consumo. Temos podido observar uma discreta tendência ao reencontro de alguns valores regionais —

como é o caso da revitalização da música brasileira, cada vez mais ouvida em nosso país. Precisamos aguardar um pouco mais para saber o que vai nos acontecer e se essa tendência prevalecerá.

O ponto de vista de alguns dos mais importantes autores de ficção científica do pós-guerra era que nos encaminharíamos para um mundo em que a liberdade individual praticamente não existiria. Achavam que o mais provável seria que o novo milênio fosse rico em homens robotizados, criados em laboratórios especiais e programados para exercer funções preestabelecidas, rigidamente controlados por um poder central. A tese fundava-se na concepção de que o progresso da técnica permitiria um controle cada vez mais sofisticado dos governos sobre a vida de cada indivíduo. Computadores eficientes permitiriam a um pequeno grupo de líderes o domínio e a manipulação da conduta de grandes multidões. O povo seria constituído por um novo tipo de escravo, criado para ser dócil e resignado.

Felizmente, tais previsões não vêm se confirmando. É claro que ainda não estamos totalmente a salvo. Os avanços tecnológicos têm, de fato, criado condições para que se possa prever para breve uma engenharia genética suficientemente evoluída para que tenhamos cauleta. O controle da vida privada por meio da informática também vem se exercendo parcialmente, uma vez que somos controlados em nossos saldos bancários, no número dos telefones que discamos e em outros atos que passam por computadores. Ainda assim, temos assistido a fenômenos importantes na direção inversa. Os anos entre 1960 e 1980 foram pródigos em movimentos de massa pelo aumento da liberdade individual, o que nos tornou muito mais tolerantes com os comportamentos extravagantes do que costumávamos ser. Observamos uma série de alterações na conduta sexual, especialmente aquelas relacionadas com o fim do tabu da virgindade feminina, e a diminuição dos preconceitos em relação a comportamentos de todas as minorias. O surgimento da pílula anticoncepcional determinou a possibilidade de condições de vida prática similares para homens e mulheres, e esse espaço tem sido ocupado por um crescente número de pessoas. Temos presenciado mudanças no tipo de música, no modo como as pessoas dançam, se vestem, na postura diante do trabalho, na forma como se divertem. Acompanhamos o surgimento de um individualismo crescente e saudável, pois permite que cada um se entretenha com os próprios interesses, liberando, assim, as outras pessoas da função de lhes tornar a vida mais atraente e estimulante.

Essa tendência para a liberdade individual parece encontrar forte resistência, de sorte que sempre que evoluímos um pouco mais nos vemos diante de um vento contrário, que determina uma reversão parcial. Assim, a partir de 1980 até meados dos anos 90, presenciamos o retorno de um consumismo que tinha sido malvisto pelos jovens da década de 60, o ressurgimento de uma competição intensa no plano profissional e uma sede por dinheiro e sucesso social extraordinária. **A competi-**

ção entre os sexos se exacerbou, exatamente o oposto do que previram os teóricos da revolução dos anos 60. A entrada das mulheres no mundo dos empregos mais sofisticados e seu crescente exibicionismo sexual devem ter sido importantes determinantes dessa onda negativa que só no final do século passou a dar sinais de estar com os dias contados. Assim, estamos novamente nos encaminhando para um momento em que a criatividade individual pode suplantar a pressão homogeneizadora derivada do poderoso sistema econômico, que hoje se tornou supranacional e mais influente do que qualquer governo.

De todo modo, podemos constatar que as propostas libertárias que tomaram corpo na segunda metade do século XX ainda não germinaram, mas tampouco estão mortas. Continuamos a viver uma condição indefinida e extraímos algum aprendizado dos acontecimentos recentes. O mais importante talvez seja o fato de que não se pode pensar em uma revolução de costumes estável e consistente baseada apenas em belas idéias e em pessoas de boa vontade. Não podemos mais superestimar nossas forças e muito menos o poder de todos os mecanismos econômicos que fazem parte do jogo. Estes se exercem de forma sutil e suave — talvez porque procedimentos assim delicados têm sido eficientes —, principalmente por recursos de comunicação de massa, mais do que tudo pela publicidade, que patrocina quase todas as atividades. **Entretanto, sem desconsiderar o poder que a ordem econômica exerce e sem desconhe-**

cer que o lucro é o objetivo maior do sistema que se constituiu de forma vencedora em todas as sociedades, ainda assim acredito que o progresso da técnica não determina desdobramentos tão controlados e previsíveis, de modo que sempre será possível o uso libertário dos mesmos meios que estão a serviço de objetivos conservadores. Acredito que uma nova idéia, atraente e rica em possibilidades construtivas, também possa se alastrar por todos os cantos, quase com a mesma facilidade com que se divulga um novo e tentador aparelho eletrônico.

Assim, creio que nosso destino ainda está indefinido, mas que se definirá em breve, o que torna nossa época muito atraente de um lado e muito grave de outro. O desenvolvimento da ciência e da técnica criou as condições para a rápida e fácil autodestruição do planeta. O crescimento emocional e moral de nossa espécie não tem evoluído com velocidade equivalente, de forma que podemos dizer que estamos vivendo um período muito explosivo, comparável ao que aconteceria se déssemos armas verdadeiras para crianças imaturas e despreparadas. Nessas condições, nosso crescimento emocional torna-se urgentíssimo. Se isso não ocorrer a tempo, tudo pode acontecer. Koestler, em uma metáfora esclarecedora, diz que em agosto de 1945, data da explosão da primeira bomba atômica, foi ligada uma bomba-relógio na Terra; dessa forma, iniciou-se uma contagem regressiva para a hecatombe final, a menos que se consiga desligar a bomba a tempo. É claro que não pensamos nisso o tempo todo. Procuramos nos distanciar de tudo que é realmente importante e usamos para esse fim as questões banais do cotidiano. **A verdade é que vivemos uma condição dramática e que, se não houver um significativo e urgente desvio de rota nos processos individuais e sociais, desembocaremos em um final trágico em pouquíssimos anos.**

As questões da liberdade individual e da evolução das sociedades constituídas e dirigidas por homens livres são, pois, fundamentais e urgentes. O homem livre, mais sereno e satisfeito consigo mesmo, não será o causador do desastre. Se a evolução se der no sentido contrário — a do poder totalitário derivado dos interesses econômicos de minorias —, não tenho dúvida de que estaremos muito perto do fim. Posso afirmar que as perspectivas que vislumbro para nós como indivíduos, para nossa vida afetiva e sexual e para os valores morais que nortearão a nova ordem social que construiremos são o mais otimistas possível. Isso se não acontecer a destruição total do planeta. **Ou tomamos jeito ou nos destruímos!**

É hora de lutar com todas as forças para que o dilema se defina a favor da vida. E a luta pela liberdade é, antes de tudo, uma batalha íntima. Trata-se de um enorme esforço de cada um consigo mesmo. É uma luta muito diferente daquela que costumamos empreender. Temos combatido outras pessoas e instituições que elas mesmas construíram. **A luta que temos de empreender agora é da "carne para dentro"; ela é, ao mesmo tem-**

po, mais fácil e mais difícil. O objetivo é a libertação de cada um de nós por meio do autoconhecimento e da aceitação das verdades últimas de nossa condição. Esses são os pré-requisitos para que sejamos capazes de nos encaminhar a uma direção coerente e positiva. Estou plenamente convicto de que só homens livres influirão de modo construtivo na sociedade, determinando uma efetiva evolução em seus valores morais e na forma como ela será gerida. **Nada de novo acontecerá da "carne para fora" enquanto não superarmos nossos obstáculos subjetivos. As sociedades mais justas e respeitosas que tanto ansiamos só existirão, de fato, quando formos seres humanos mais bem equacionados internamente.**

NOSSOS CONFLITOS ÍNTIMOS, MAIS DO QUE OS FATORES EXTERNOS, NOS IMPEDEM DE SER LIVRES

É importante conhecermos a nós mesmos, mas nem sempre sabemos por onde começar essa tarefa fundamental, justamente porque temos sido treinados para prestar mais atenção ao que nos cerca do que aos processos que acontecem dentro de nós. Um bom ponto de partida consiste em conhecermos nossas fontes de prazer e de dor. Uma grande dor íntima origina-se da consciência de nossa condição de desamparo e insignificância cósmica. Os prazeres importantes derivam de nossas funções fisiológicas, tanto as relacionadas com o requinte que pode acompanhar a necessidade de se alimentar e se vestir como as de natureza diretamente sexual. Experimentamos também grande prazer em aprender, em compreender como funcionam os seres e as coisas que nos cercam.

É forte também o prazer relacionado com o autoconhecimento, ainda que por vezes nos traga informações negativas a nosso respeito. Nesse caso, à dor e vergonha inicial segue-se um período de positividade e otimismo relacionado com as possibilidades de mudança e aprimoramento que a consciência de um erro ou defeito nos proporciona. Assim, boa parte do processo de introspecção passa por um reacendimento da atenção que devemos ter com nós mesmos, tentando entender os motivos de nossas ações e as emoções que as várias situações da vida nos provocam. **O objetivo é a permanente autocrítica, não com o intuito de nos colocarmos para baixo ou nos acovardarmos, mas visando à permanente evolução que deriva de podermos corrigir e ultrapassar nossas limitações.**

Por não estarmos muito preparados para a introspecção e para o autoconhecimento, sempre foi forte a tendência de atribuirmos a fatores externos a responsabilidade pela não realização de nossos maiores anseios. Sempre foi mais fácil e apaziguante pensar assim, em vez de supor, a sério, a existência de obstáculos internos, ligados à própria natureza e estrutura de nossa subjetividade. Descreverei a seguir algumas das muitas razões que determinam a permanência desse tipo de procedimento mesmo em espíritos muito sofisticados.

Uma de nossas maiores dificuldades consiste em aprendermos a conviver com nossas dualidades. São inúmeros os casos em que dada situação provoca duplo sentimento em nós. Podemos sentir inveja de um irmão querido que prospera e continuar a amá-lo e a desejar o melhor para ele. Podemos nos sentir enciumados e ameaçados com o sucesso do cônjuge, apesar de amá-lo. Podemos querer ir ao cinema e, ao mesmo tempo, estar com preguiça de sair de casa. A lista de contradições internas e de ambivalência de sentimentos é enorme. **Em muitos casos, o indivíduo pode resolver a dualidade pelo mecanismo de projeção, que consiste em tomar para si um braço da dualidade e transferir o outro para uma pessoa ou instituição. Assim, uma contradição interna se transforma em um conflito externo, e um pólo do dilema é projetado em alguém.** Exemplos corriqueiros acontecem, por exemplo, na vida conjugal: um homem ambicioso que valoriza a simplicidade e o desprendimento pode se unir a uma mulher mais declaradamente exigente de sucesso material e dirigir sua vida nesse sentido mais por amá-la e querer agradar-lhe do que por sua real vontade — em aparência, é claro. Mantém o papel de desprendido e projeta suas ambições na esposa, transformando sua dualidade em uma questão interpessoal.

Outra razão para a valorização excessiva dos obstáculos externos está relacionada com o desejo da maior parte das pessoas de fugir e desviar a atenção da vida íntima. Como suportamos mal o convívio com nossa condição — e também com nossas contradições e dualidades —, tratamos de nos ocupar o mais possível com as coisas que são externas a nós. Essa forma de nos esquecermos de nós mesmos é tão eficaz quanto o uso de qualquer entorpecente. Não gostamos de conviver com nossas verdades e contradições. **Gostamos menos ainda de conviver com as dúvidas, condição que nos leva a decisões rápidas, precipitadas e, muitas vezes, equivocadas. Acovardamo-nos diante das dúvidas porque elas nos provocam grande insegurança.** Essa tendência para decisões apressadas costuma ser atribuída a pressões externas, que podem até existir, mas cujo poder certamente está superestimado. Ortega y Gasset afirma que o vigor intelectual de uma pessoa pode ser medido por sua capacidade de suportar dúvidas.

Os procedimentos que nos impulsionam para a projeção de um dos lados de um dilema que deriva da presença, em nossa subjetividade, de forças em contradição podem ser de natureza mais complexa e difícil de analisar. Podem estar em aspectos essenciais de nossa vida íntima e diminuir de modo radical nossas possibilidades de sermos criaturas livres e vivermos bons momentos de felicidade. Cabem algumas considerações a respeito da questão amorosa — e que repetem reflexões mais extensas feitas por mim em outros livros específicos sobre esse assunto. As "grandes" histórias de amor da literatura, assim como a maior parte das que acontecem na vida real, costumam se dar na presença de importantes obstáculos externos. Ou seja, a consumação está impedida porque as famílias se opõem àquela união, as pessoas são casadas e têm filhos pequenos, o dinheiro não será suficiente, as condições sociais não são favoráveis, existem grandes desníveis culturais, grandes diferenças de idade ou então grandes distâncias entre os que se amam. Não deixa de ser surpreendente constatarmos que a presença de um obstáculo externo de bom tamanho constitua um dos fatores predisponentes para o encantamento amoroso intenso. Essa mesma impossibilidade que faz surgir com mais facilidade o amor será tida mais à frente como a causa da separação dos que se amam.

É fato que, ainda hoje, a maior parte das paixões termina com a separação dos amantes e ela ainda costuma ser atribuída aos fatores externos. O sofrimento é dramático, a depressão por vezes dura anos e nem assim as pessoas se dispõem a enfrentar os obstáculos objetivos. Não estou menosprezando os impedimentos externos, tampouco as dificuldades que é preciso enfrentar para superá-los. O que questiono é a excessiva valorização deles, que passam a ser reconhecidos como intransponíveis, e com isso definitivamente não estou de acordo. Por que Romeu não resolveu seu dilema colocando Julieta na garupa de seu cavalo e desaparecendo com ela por algum tempo? Quando, mais tarde, quisessem voltar, certamente seriam recebidos de braços abertos por seus familiares, já reconciliados entre si, felizes por tê-los por perto e com saúde. O que impede que as histórias da literatura e da vida real sejam assim bem-sucedidas? Por que as separações continuam a ser a regra geral mesmo quando os obstáculos externos são de superação muito mais fácil? É curioso observar que mesmo nos contos de fadas existem obstáculos a ser ultrapassados — as bruxas, os dragões etc. Só que, nesses casos, assim como na literatura de entretenimento e sem grande respeitabilidade intelectual, o amor vence os obstáculos e se consuma.

Minha experiência clínica, baseada no acompanhamento de mais de mil histórias de paixão, ensinou-me que os obstáculos externos, mesmo quando relevantes e difíceis de equacionar, não são a causa efetiva das separações. O encontro amoroso de forte intensidade determina várias reações íntimas complexas capazes de fazer sugir um importante fator antiamor dentro de nossa subjetividade. **É difícil acreditarmos que existam, em nós mesmos, aspectos contrários ao amor, uma vez que ansiamos ardentemente pelo encontro sentimental. Outra vez estamos diante da dificuldade de aceitar nossa dualidade.** Essa força contrária ao encontro romântico é composta de vários elementos, entre os quais destaco a ameaça que o amor impõe a nossa individuação e independência — condição que sempre queremos preservar —, o brutal pavor que a felicidade nos provoca porque parece "atrair" toda sorte de catástrofes, o enorme medo de desapontar o amado e termos de passar pela terrível dor da perda, que faz muito mal a nossa vaidade, além do fato de que o encontro amoroso baseado em harmonia e confiança recíproca pode determinar uma diminuição do desejo sexual.

Quando estamos bem do ponto de vista sentimental e nos encontramos mais serenos quanto às questões práticas da vida, tendemos a nos voltar para as questões fundamentais de nossa subjetividade, das quais estamos sempre querendo fugir. Esses fatores, todos de natureza íntima, são a real causa das separações dos amantes. Eles têm importância infinitamente maior do que a dificuldade que temos de nos separar do cotidiano de nossos filhos ou das eventuais dificuldades econômicas e sociais que enfrentamos.

Minha convicção é a de que, ao pensarmos na questão da liberdade — outro dos anseios fundamentais de nossa razão —, cometemos o mesmo tipo de engano. Não faltam obstáculos externos querendo impedir o livre exercício de nossa existência. Eles se manifestam de forma clara, prometendo represálias afetivas e materiais para aqueles que aderirem a um modo de viver extravagante, que esteja em oposição aos padrões propostos por dada sociedade. O inverso também é verdadeiro, de maneira que somos estimulados a aceitar as regras do jogo tal como são por causa das polpudas recompensas que nos são prometidas. **Apesar disso, não creio que essa seja a razão principal para a acomodação da maioria das pessoas — entenda-se como acomodação o ato de permanecer em uma situação desconfortável; acomodar-se a uma condição confortável não é outra coisa senão bom senso!** Acredito que são nossas fragilidades subjetivas que nos impedem de agir segundo nossos pontos de vista. Aliás, o primeiro problema íntimo é que nossas dúvidas e contradições acerca de nossos pensamentos e idéias nos subtraem a força necessária para que possamos agir de forma livre. Não é fácil construir idéias sólidas e capazes de gerar um comportamento rico em determinação. Temos de aceitar nossas dualidades e nos entendermos com elas, o que implica abdicarmos da prática de projetar uma das faces de nossas ambivalências.

Um exemplo marcante daquilo que estou pretendendo transmitir diz respeito a nossa postura diante da sociedade de consumo na qual estamos imersos. Cada um de nós precisa conseguir saber quanto é fascinado pelos bens materiais e que preço está disposto a pagar para ter acesso a eles. Não podemos nos iludir e simplesmente negar o impacto que eles nos causam sob pena de termos de deparar com frustrações tão graves, derivadas de conclusões não profundamente meditadas, que acabarão por nos impor uma inversão de postura de 180 graus. Pagar qualquer preço para ter acesso aos objetos que nos encantam pode levar a equívocos até mais graves e irreversíveis, uma vez que teremos feito concessões que vão além de nossos reais limites, o que determinaria uma sensação de tédio e tristeza mesmo quando cercados por tudo que desejamos.

Muitos oscilam entre o usufruto dos prazeres materiais e da boa qualidade de vida e os prazeres inversos, aqueles que dependem de renúncias e sacrifícios que nos fazem sentir úteis e poderosos. **É necessário firmarmos nossas convicções antes de nos lançarmos em ações livres e conseqüentes. Isso vai nos fortalecer intimamente, condição necessária para a construção das trincheiras internas que nos defenderão das pressões do meio social. Aí, sim, poderemos percorrer as**

estradas que escolhemos. Se não conseguirmos construir posições internas sólidas, de nada adianta acusarmos a estrutura social de escravizante e opressora, uma vez que estaremos apenas nos escusando de assumir nossa incompetência. Esse tipo de ponderação não implica que devamos deixar de observar criticamente a sociedade em que vivemos nem que a luta por aprimoramentos em sua estrutura não seja uma de nossas metas.

Outro exemplo pode nos ajudar a refletir: não há dúvida de que interesses muito questionáveis costumam induzir a população de todos os países ao vício do tabagismo; isso é feito mesmo depois de termos certeza do caráter insalubre do consumo de cigarros. A pressão social, especialmente sobre os adolescentes, para que se encantem com o cigarro é óbvia, mas nada nos impede de não fumarmos, assim como nada impede que os tabagistas parem de fumar a qualquer momento. Nesse caso, a postura social é aplaudir aquele que abandona o vício. Essa é apenas uma das faces da moeda; a outra é governada por interesses econômicos de várias ordens. De todo modo, não há sanção social prevista para quem agir de acordo com suas convicções, do mesmo modo que ninguém é obrigado a ingerir álcool, trocar de carro todo ano, viver segundo padrões de ostentação e requinte propostos pela pressão publicitária. Se nos sujeitamos a tais pressões e agimos contra nosso ponto de vista, temos de percorrer o caminho da autocrítica e reconhecer em nossas fragilidades íntimas as razões para erros assim grosseiros. É preciso dar uma solução pessoal a essas contradições antes de nos insurgirmos contra as regras do jogo econômico existente; temos de nos salvar antes de tentarmos salvar nossos semelhantes.

É necessário evitar a todo custo outro tipo de solução para nossas dualidades: levarmos dado tipo de vida e fazermos um discurso oposto ao que vivemos. **Um indivíduo rico que gosta de uma vida confortável poderá, conscientizando-se de que seus privilégios derivam da exploração de grandes segmentos da população, se manifestar a favor de mudanças que iriam contra seus interesses individuais. Pode se tornar um defensor de posições políticas compatíveis com os interesses populares, apesar de não alterar sua vida rica em privilégios; pode fazê-lo sem se achar em contradição, principalmente se considerar que a questão só se resolve pela via política, por alterações drásticas na estrutura social. O sacrifício individual parecerá sem lógica, de modo que o indivíduo continuará a usufruir seus privilégios. O ditado popular nos ensina que "uma andorinha não faz verão". Criticará os privilegiados que, como ele, vivem de forma muito melhor do que o povo. Tenderá a participar do processo social ingenuamente, de forma a contribuir, com ou sem consciência, para a perpetuação da situação existente. Apenas apaziguará sua consciência.**

Essa forma mais requintada de resolver nossas contradições internas sustenta-se na crença de que os fatores externos são os de maior importância na determinação das restrições a nossa liberdade individual; baseia-se na idéia de que esse tipo de obstáculo só poderá ser transposto por meio de uma mudança radical na estrutura social em que vivemos. A verdade é que nada impede que uma pessoa rica abandone seus negócios e vá viver de acordo com suas convicções. Talvez um indivíduo não possa decidir quanto receberá, uma vez que pode estar imerso em um sistema de trabalho que o leve a receber muito mais do que acha justo, porém será sempre livre para decidir como viverá. **Ou seja, mesmo quando não decido quanto receberei, posso decidir quanto do meu dinheiro gastarei e como!** Se eu viver como a maioria das pessoas de minha condição social, terei de assumir que essa foi uma opção que fiz e não que estou submetido a uma imposição externa. **Não estou propondo posturas ingênuas diante de obstáculos poderosos, mas sim que se utilize o espaço de liberdade que, apesar de toda a repressão, existe nas estruturas sociais. Estou considerando que a mudança individual deverá anteceder aquela de natureza social.** O exemplo pessoal é importantíssimo fator de influência sobre o meio em que vivemos. Se as pessoas que viverem de modo coerente e consistente forem mais felizes e realizadas, aí, sim, haverá conseqüências sociais muito importantes.

O MEIO SOCIAL NOS PRESSIONA COM MECANISMOS DE PUNIÇÃO E RECOMPENSA

São poucas as vezes em que paramos para pensar como o meio social exerce pressões sobre nós. Não nos damos conta do modo como elas nos chegam e das razões pelas quais somos tão suscetíveis a elas. Essas pressões são basicamente de dois tipos: aquelas que nos induzem a agir conforme os usos, costumes e tradições acumulados pelas gerações que nos antecederam e as que estão em conformidade com os interesses políticos e econômicos atuais das minorias que nos governam. O que chamamos de meio social ou de sociedade corresponde ao coletivo de indivíduos — e que, portanto, nos inclui. As pressões sociais não são, pois, parte de uma força mágica que emana da sociedade, que nos oprime e dita normas de conduta que não podem ser contrariadas. Nascem de nossas tradições e dos interesses de minorias poderosas. A maioria obedece e vive de acordo com as ordens que recebe tanto por passividade como por incompetência ou medo. Em concomitância com a existência das minorias que ditam as regras e detêm o poder econômico, existem outras que se opõem a elas. Estas últimas ditam outro tipo de regras, na maior parte dos casos antagônicas às que são defendidas pelas primeiras e que deverão ser obedecidas por seus seguidores. Agem de forma igualmente totalitária, desprezando e rejeitando aqueles que discordam dos pontos de vista por elas defendidos.

De forma geral e um tanto simplificada, podemos dizer que o meio social é constituído por certo número de minorias que disputam entre si a primazia com o objetivo de impor à maioria suas convicções e interesses. Não podemos deixar de reconhecer algumas semelhanças entre os processos sociais e aqueles que acontecem no seio da família, célula nuclear da sociedade — ao menos o tem sido até o momento. Os pais tratam de educar os filhos, ou seja, tentam transferir a eles suas tradições, os modos de ser e de viver, enfim criá-los a sua imagem e semelhança. Esse procedimento é, por vezes, paradoxal, já que os pais agem dessa forma mesmo quando estão totalmente insatisfeitos consigo mesmos e com a vida. Mesmo assim, posicionam-se como o modelo a ser seguido pelos filhos. Serão bons filhos os que se comportarem de acordo com o molde proposto por eles e forem dóceis para se espelharem no que lhes ensinaram. Aqueles que se opuserem às opções dos pais serão tratados como rebeldes, irracionais ou irresponsáveis.

A família e o meio social como um todo se valem de um dos procedimentos sabidamente eficazes para transmitir aos novos membros seus ensinamentos: ou reprimem as condutas consideradas inadequadas por meio de severas represálias – que são as punições –, ou estimulam e premiam as atitudes tidas como adequadas mediante a doação de brindes materiais ou sentimentais – as recompensas. As práticas educacionais privilegiam uma ou outra postura como a mais adequada e eficiente, dependendo das concepções em voga em cada época. Hoje em dia, muitos consideram as punições autoritárias e repressivas, de modo que acreditam que a postura mais democrática e liberal é aquela baseada em recompensas.

É importante não nos iludirmos com as aparências; o mais provável é que os dois procedimentos sejam autoritários quando a intenção é transferir para os filhos exatamente o modo de ser e de viver dos pais. Como a maioria das crianças necessita de afeição e manifestações de apreço, quando agem de acordo com a vontade dos pais, não estão apenas buscando a recompensa amorosa, mas também fugindo da brutal dor relacionada com sua ausência. Agem por desejarem carinho e temerem desafeto. Se sairmos do plano mais superficial, perceberemos que ambos os procedimentos pedagógicos são autoritários, só que um mais explícito e o outro mais sutil. Convém registrar que o uso de recompensas materiais está em sintonia com o consumismo típico da vida social contemporânea, de modo que as crianças estão se familiarizando com bens de consumo que se tornam para elas cada vez mais atraentes. Receberão brinquedos e farão as viagens sonhadas se conseguirem o rendimento escolar esperado e agirem de acordo com o que esperam delas. **Não estamos, portanto, sendo muito criativos na forma de educar nossos filhos. A ausência de severos castigos não significa que nos tornamos mais tolerantes e respeitosos em relação às diferenças individuais, mas que encontramos recursos de pressão mais adequados e discretos.**

Não acredito que tenhamos dados indicativos de que estamos vivendo em uma época na qual as estruturas sociais sejam mais respeitadoras dos pontos de vista individuais, em que cada um é estimulado a buscar dentro de si seus projetos e interesses em vez de simplesmente repetir o que lhe é sugerido de fora. Creio apenas que a maior parte da sociedade, assim como muitas famílias, tem conseguido um controle eficiente sobre a conduta individual por meio da promessa de tentadoras recompensas para aqueles que agirem de acordo com as normas propostas. Em uma época como a atual, em que as pessoas estão fascinadas pelos novos produtos derivados dos avanços tecnológicos, não me parece difícil induzi-las a comportamentos convenientes ao interesse das minorias política e econômica que estão no leme do processo social. Qualquer atitude contrária a esses interesses implicará a impossibilidade de acesso a tais bens, o que, por si só, é uma drástica punição. **Ou seja, a ausência de recompensa é uma punição, circunstância na qual os dois processos de indução de comportamentos esperados por aqueles que nos manipulam tornam-se convergentes e passam a fazer parte de um único e superpoderoso meio indutor das condutas padronizadas pelo meio social — de acordo, é claro, com os que nos lideram e que, por serem integrantes da mesma sociedade, são vítimas dos mesmos processos padronizadores.**

Em decorrência de pressões assim poderosas, os movimentos libertários que pregavam, entre outras coisas, a oposição e recusa às normas opressoras da sociedade de consumo não foram muito adiante. A multidão de jovens que nos anos 60 e 70 buscavam soluções de vida que não passavam pelo convencional acabaram por aderir aos padrões estabelecidos. Não suportaram a crescente frustração e insatisfação por serem forçados a se privar de ter carros, casas confortáveis e providas de equipamentos eletrônicos, das viagens e de outros prazeres que o dinheiro pode comprar.

Nas condições em que tem sido necessário — segundo seus critérios —, as minorias que detêm o poder social jamais titubearam em utilizar os processos de punição direta com o intuito de coibir qualquer tentativa de desorganização do sistema por elas proposto. Da mesma forma que a maior parte dos pais nunca abriu mão da força física para fazer valer sua autoridade, os poderosos estão sempre prontos a agir com violência para se manter à testa do processo social. Hoje tais atitudes são mais raras apenas porque os meios de comunicação de massa, especialmente por peças publicitárias, têm sido de enorme eficiência para manter o meio social sob controle em nome das promessas de boas recompensas para os bem-comportados. Estamos vivendo uma era em que os mecanismos de dominação estão mais requintados e eficientes.

Isso significa que temos seguido princípios totalitários impostos por um pequeno grupo de pessoas. Tudo está muito bem camuflado, escondido por trás de atitudes aparentemente libertárias. Somos mais livres para nos vestir, falar e mesmo pensar; essa é a aparência. Vejamos, por exemplo, o que aconteceu com os avanços da psicologia ao longo do século XX. Não tenho dúvida de que os objetivos dessa ciência e de seus grandes autores tenham sido verdadeiramente libertários. A descoberta do inconsciente — de que temos dentro de nós sentimentos que nos impulsionam em direções nem sempre em sintonia com nossa intenção principal — abre perspectivas interessantíssimas para que nossa vida íntima seja mais sincera, condição indispensável para uma qualidade de vida melhor. Não é fácil descrever o que significa, do ponto de vista do potencial libertário, a separação teórica e prática entre o sexo e a reprodução, possível graças aos avanços da medicina. **A concomitância desse avanço no controle da reprodução com o melhor entendimento da importância da sexualidade para nossa vida, desencadeado pelas descobertas dos primeiros psicanalistas, criou um terreno incrivelmente fértil para extraordinárias mudanças.**

O que aconteceu na prática? Os detentores do poder social aproveitaram-se dos novos conhecimentos, devidamente deturpados, para reforçar suas posições. Da chamada revolução sexual dos anos 60 sobrou, de fato, apenas um reforço dos apelos publicitários voltados para esse instinto. Visaram à venda, em escala máxima, de todos os tipos de mercadoria; é importante lembrarmos que a revolução sexual inicialmente estava vinculada ao anticonsumismo. Hoje, todos os rapazes são induzidos a aprender que o acesso às belas mulheres fica muito facilitado pela posse de determinados tipos de carro, pelo fato de terem conta em determinado banco etc. As que quiserem atrair os homens mais bem-sucedidos — e ainda são os mais cobiçados — deverão usar tal creme para o rosto, tal xampu etc. A liberdade sexual que era proposta e crescia entre os jovens do início da revolução de costumes que aconteceu na segunda metade do século XX tinha por objetivo libertar os homens e as mulheres de amarras milenares. O que temos acompanhado é um agravamento do jogo erótico e da disputa de poder entre os sexos. O maior exibicionismo feminino não tem intuito libertário, e sim de exibição de poder. O apego muito maior ao consumismo pelos homens está, acima de tudo, a serviço da guerra entre os sexos. **Tudo que se pôde pensar como parte de um processo libertário acabou redundando em consumismo e opressão.**

A descoberta de que nosso inconsciente é rico em inveja, vaidade, ambição descabida e competição desvairada não nos tem ajudado a mudar, para uma direção mais sadia, a rota de nossa vida. Ao contrário, esse conhecimento tem sido usado apenas para aplacar os sentimentos de culpa daqueles que os possuem em alta dose. Não temos trabalhado para sermos menos invejosos; estamos caminhando para nos tornarmos invejosos serenos e apaziguados! Tudo aquilo que, esperava-se, contribuiria para diminuir a rivalidade e a competição entre os homens — e, mormente, entre homens e mulheres — redundou em seu oposto. Isso é o que tem acontecido até agora, o que não impede que consigamos reverter esse quadro obscuro e pessimista.

É curioso observarmos que, em sociedade, exercemos ao mesmo tempo dois papéis: somos fiscalizados pelos "outros" e também por parte daqueles que os fiscalizam. Tal situação deriva de um processo muito comum em nossa subjetividade: quando aceitamos determinada idéia — ou ordem? — passamos a agir como se ela sempre nos tivesse pertencido e desenvolvemos forte irritação contra as pessoas que não compartilham o mesmo ponto de vista. Passamos a criticar os que pensam de modo diferente e ter uma postura de desprezo em relação a eles. É como se tivéssemos uma enorme tendência de nos sentirmos os donos da verdade ainda que tendo alguma consciência de que incorporamos muitos de nossos pontos de vista por uma via nem sempre muito rigorosa. Tendemos a achá-los os melhores, de modo que passamos a criticar ostensivamente aqueles que se posicionam de forma diferente. Sem nos darmos conta, nos transformamos em novos fiscais, em agentes repressores de todos os que não são como nós. **Dessa perspectiva, todos damos satisfação de nossa vida aos outros, damos palpites na vida de todos e nos posicionamos como os donos da verdade.**

Infelizmente, essa maneira de pensar, segundo a qual nosso ponto de vista é o único legítimo e íntegro, existe entre vizinhos, entre colegas de trabalho de todos os níveis de instrução e entre os mais requintados intelectuais. Eles exercem violenta censura sobre aqueles que pensam de modo diverso, praticando um verdadeiro patrulhamento ideológico. Quase todos têm essa forma de atuar, que consiste em criticar e rebaixar aqueles que não pensam nem se comportam conforme suas convicções. Isso constitui óbvio comportamento totalitário, um grosseiro e lamentável desrespeito para com o próximo.

Respeito humano é algo tão abstrato e tão poucas vezes encontrado na prática que me parece conveniente definir com certa precisão seu significado: implica conseguirmos ultrapassar a tendência de julgar negativamente todas as pessoas que não pensam do mesmo modo que nós. Significa conseguirmos, não sem esforço, compreender que outros cérebros podem chegar a conclusões diferentes das nossas, apesar de estarem agindo com igual competência, honestidade e sinceridade. Significa não pretendermos forçar os outros a se iluminar com nossa "sabedoria" e aceitarmos que cada cérebro, composto por bilhões de neurônios e submetido a experiências de vida únicas, pode chegar a concepções distintas a respeito de quase todos os assuntos. Acima de tudo, significa podermos conviver intimamente com pessoas que pensam de forma diversa da nossa. **Só podemos aprender maneiras novas de ser e de pensar com quem tem outros pontos de vista. O convívio com divergências — desde que entre pessoas honestas intelectualmente — pode ser muito rico e estimulante.**

As ciências também podem estar a serviço do patrulhamento a que estão sujeitos aqueles que agem de modo diverso do esperado por dado meio social. **A psicologia presta-se particularmente bem a esse papel e não são poucas as pessoas que usam expressões extraídas dela para camuflar suas posturas repressivas e desrespeitosas.** Assim, pessoas com comportamento divergente do que se espera podem ser rotuladas de neuróticas, complexadas, portadoras de distúrbios definidos por vários nomes técnicos, tais como paranóicas, obsessivas, masoquistas etc. Com esse tipo de catalogação negativa, os interlocutores sequer necessitam pensar mais seriamente sobre o que tais criaturas pensam, uma vez que suas concepções já foram antecipadamente desqualificadas.

A verdadeira intimidade entre as pessoas, que nunca foi muito rica, vem se tornando cada vez menos freqüente nesses tempos em que as palavras derivadas da psicologia estão a serviço da censura aos modos de ser e de pensar divergentes. Quando ousamos confidenciar algo muito íntimo a alguém e ouvimos dele algum tipo de "interpretação psicológica" que nos remeta a eventuais explicações de nossos "desajustes" e por meio da qual nos sentimos rotulados, é evidente que tendemos a uma atitude de retração e a nos fechar cada vez mais em nós mesmos. **A intimidade se dá quando digo algo relevante sobre mim e ouço de meu interlocutor algum tipo de confidência compatível com aquela que acabo de fazer a ele. Intimidade é falar de si e não do outro. Sou íntimo de uma pessoa quando me sinto confortável e seguro para falar com ela sobre mim. E isso acontece quando não me sinto julgado por ela nem sujeito a alguma "interpretação".** Como resultado desse modo equivocado de as pessoas se relacionarem, cada vez mais só falamos de negócios e futilidades, isso quando não agimos de maneira hipócrita. A grande verdade é que de nada adianta as pessoas se beijarem e se abraçarem de uma forma que antes não faziam se não se sentem confortáveis para revelar a alma umas para as outras. **Verdadeiras amizades têm se tornado cada vez mais raras.**

O MEIO SOCIAL NOS ENFRAQUECE AO VALORIZAR MUITO A SEXUALIDADE E MINIMIZAR A IMPORTÂNCIA DO AMOR E DA AMIZADE

É preciso muita autoconfiança e coragem para lidarmos com incertezas e nos opormos às pressões que o meio externo exerce sobre nós. Quando nos sentimos fracos e inferiorizados, tendemos a não oferecer resistência aos mandamentos da sociedade. Não tendo forças para nos opormos às pressões externas a que estamos submetidos, costumamos, até para resguardar o que nos resta de auto-estima, aumentar a importância delas e responsabilizá-las pela impossibilidade de sermos livres. **Dessa forma, a minoria que estiver no poder não poderá ter interesse no crescimento íntimo da maioria. Mesmo que não pensem com essa frieza, tais pessoas agem como se tivessem refletido muito acerca do que é conveniente fazer para que a maior parte da população permaneça insegura e fraca. A negligência de muitos governos com a questão da educação torna explícita essa manifestação contrária — sem dúvida, intencional — ao desenvolvimento da maioria.** Muitos poderosos usam artimanhas com a finalidade de enfraquecer aqueles com quem convivem para mantê-los subjugados e dóceis. Como percebem que tais procedimentos são eficientes em pequena escala, devem intuir que procedimentos similares poderão ter efeitos devastadores sobre a auto-estima de multidões. Como é mais fácil dominar e submeter aqueles que estão se sentindo perdidos de si mesmos e de seus semelhantes, fica claro que, para as classes dominantes, quanto mais infelizes forem as pessoas, melhor.

Sendo verdade que nossas maiores dores íntimas estão relacionadas com a consciência do desamparo metafísico e da insignificância cósmica, sempre que vivemos de uma forma que exacerbe essas sensações nos sentimos mais tristes e até desesperados e ficamos muito vulneráveis às pressões do meio exterior. Para que isso não aconteça, insisto em que o primeiro passo consiste em não fugirmos da verdade, de que é essa nossa efetiva condição. Negar os fatos não resolve. Mesmo quando diminui o sofrimento imediato, será gerador de dor maior no futuro. A verdade irá para o inconsciente e de lá "transmitirá" sinais que periodicamente farão ruir o castelo de cartas de falsidade que usamos para substituí-la. O fato é que nos fortalecemos quando enfrentamos nossa real condição. Sofremos muito em um primeiro instante, mas depois encontramos saídas melhores e mais estáveis. A solidão corresponde a nossa verdade metafísica. Temos de aprender a conviver com nós mesmos e a nos entreter com nosso cérebro e com os assuntos que captam nosso interesse. Precisamos ficar razoavelmente bem assim para que, livres do desespero, consigamos encontrar os bons relacionamentos afetivos capazes de determinar real atenuação para o desamparo.

O meio social em que vivemos não sugere que nos esforcemos para nos conhecermos melhor e encontrarmos soluções estáveis para nossas maiores dores, mas sim que obedeçamos a suas normas, condição na qual seremos respeitados e queridos pelos outros seres humanos. Adverte-nos de que a conduta oposta — aquela de natureza extravagante — implica desafeto generalizado, que se materializa na solidão, palavra assustadora para aqueles que não aprenderam a conviver consigo mesmos; já sabemos que não somos estimulados a ficarmos bem sozinhos e que isso está em processo de mudança, em decorrência não da vontade das minorias que detêm o poder, mas do avanço tecnológico, que nos tem obrigado a ficar sós por um tempo cada vez maior — e muitos têm descoberto as delícias da solidão.

O meio social sugere que a recompensa para quem se comportar de acordo com as convenções será a conquista de uma posição de sucesso, o que gera a sensação de destaque em relação às outras pessoas e traz consigo a atenuação da dolorosa sensação de insignificância absoluta que tanto nos faz sofrer. Essa proposição deriva da maneira usada pelas próprias minorias para atenuar suas dores. Esquecem-se de que a solução que encontraram para si não é tão boa assim, uma vez que costumam ser criaturas infelizes e ansiosas por crescentes doses de sucesso e notoriedade. Parece que não pensaram que essa solução, ainda que duvidosa, jamais poderia servir para todas as pessoas, uma vez que, no seio de dada coletividade, apenas um pequeno número de pessoas pode se destacar. Sim, porque, se todos tiverem acesso a certas posses materiais e a determinados ambientes e situações, isso já não seria motivo de destaque. Para que uma pessoa atraia olhares de admiração, é necessário que ela possua algo que a maioria dos observadores não possa ter. Ou seja, se, de fato, o destaque social pode atenuar o desespero de nossa insignificância cósmica, ainda assim seria solução possível apenas para poucos e em prejuízo da maioria. Não deixa de ser paradoxal que essa maioria esteja de acordo com uma proposta desse tipo, cujo remédio jamais poderá ser dado a todos; talvez isso aconteça em virtude de nossa capacidade de sonhar: cada um acha que poderá ser um dos poucos que chegarão lá!

Já assinalei alguns problemas relacionados com a busca do destaque como fórmula possível de atenuar nossas dores íntimas; o mais grave tem que ver com o fato de o sucesso determinar um afastamento humano capaz de agravar o desamparo, que também nos faz sofrer. Ou seja, o destaque tem um compromisso forte com o prazer erótico difuso da vaidade. Buscamos chamar a atenção das pessoas para nos deleitarmos com a excitação sexual que sentimos e, se não nos acautelarmos, essa pode ser a maior força motriz de nossas ações. Dessa maneira, transferimos para o domínio da sexualidade a ênfase fundamental, o que implica passarmos a esperar das satisfações próprias desse instinto mais do que ele pode oferecer. **O sexo é um dos grandes prazeres da vida, o prazer do**

corpo por excelência. Pode ser vivido de forma lúdica, associado a gratificantes trocas de carícias entre pessoas. De repente, transformou-se em coisa séria e importante e passou a ser a razão fundamental da existência, de modo que temos dependido dele para nos salvarmos e nos livrarmos de todos os males.

Dessa perspectiva, a meu ver totalmente equivocada, os homens trabalham desgraçadamente e sem prazer apenas para buscar o destaque social necessário para que tenham acesso ao maior número possível de mulheres. Por essa via, sentir-se-ão, por instantes, envaidecidos e esquecidos da realidade de sua insignificância cósmica. As mulheres preocupam-se cada vez mais com sua aparência física, sempre com a finalidade de atrair o maior número possível de homens, condição na qual se sentirão momentaneamente elevadas e significantes. Como tal remédio é eficaz, o comportamento que o contém, por causa do curtíssimo tempo de duração de seu efeito, tende a se repetir com grande freqüência. Pode passar a ser exercido de modo compulsivo, transformando-se mesmo em um tipo de vício. **Se não tomarem cuidado, muitas pessoas inteligentes terão sua vida reduzida a essa banalidade, na qual a vitória é se perceber capaz de atrair e seduzir o outro, que, uma vez conquistado, deverá ser descartado e substituído.**

Lamento muito que tenhamos nos dirigido por essa rota, que nos afastou, de forma dramática, do sexo como um prazer instintivo gratificante e ingênuo. Isso tem nos impulsionado para a guerra entre os sexos, na qual a sexualidade passou a fazer parte dos assuntos de poder e não mais de prazer. Não acredito que o exercício da conquista e a prática sexual em um contexto assim belicoso — em que o prazer está diminuído e a preocupação com o desempenho ganha força cada vez maior — possam resolver ou mesmo atenuar de maneira consistente nossas dores maiores. Mais grave ainda é constatarmos que tal exercício da sexualidade encontra-se naturalmente em oposição aos anseios amorosos, estes, sim, capazes de nos ajudar a lidar melhor com nossas dores. Não há como continuar escondendo as correlações íntimas entre o sexo que tem sido praticado e a agressividade. O sexo como fonte de prazer é livre e descompromissado; como parte do jogo de poder, é comprometido com a agressividade.

Sentimo-nos significantes e importantes de forma mais estável e menos espalhafatosa quando sabemos que somos queridos por determinadas pessoas e amados por uma em particular. Nossa falta é sentida como dolorosa, pois nossa presença apazigua sensações negativas delas — e, quando isso acontece, nós também nos sentimos protegidos por elas. Se formos um pouco mais atentos, perceberemos que esses elos valem muito mais do que todo o prestígio social, mais do que todas as conquistas eróticas. O caminho para atingir esse tipo de significância amorosa é muito mais delicado, além de não implicar competições desgastantes, nas quais apenas poucos poderão sair vitoriosos. Muito melhor do que neutralizarmos nossa sensação de insignificância incensando a vaidade derivada do prestígio social — vazio e efêmero — é tratarmos de nos aconchegar por meio da participação construtiva em dado grupo de pessoas. Adianta muito pouco o aplauso de multidões se chegarmos em casa e não encontrarmos alguém com quem nos identificamos de verdade.

A insignificância e o desamparo atenuam-se quando os reconhecemos como peculiaridades de nossa condição e não tentamos nos livrar deles de forma grosseira. Ao convivermos, ainda que de modo doloroso, com nossas verdades, vamos nos tornando interiormente mais fortes, o que nos deixa mais preparados para passarmos períodos solitários sem que nos sintamos desesperados. Isso nos torna mais fortes ainda e tendemos a pretender relacionamentos afetivos, tanto os de amizade como o amoroso, baseados na sinceridade. Esse tipo de relacionamento sincero e estável não tem nada que ver com a aceitação das normas usuais da ordem social que sugerem que não devemos nos mostrar como somos por dentro, quais são nossas contradições, aspirações e frustrações. A atenuação de nossas dores metafísicas está relacionada, pois, com os fenômenos amorosos, que, conforme já expus, estão claramente separados dos de natureza sexual. A atenuação do sofrimento interior tem que ver mesmo é com o compartilhar de nossa subjetividade com pessoas que nos sejam solidárias. Isso é muito mais consistente do que as carícias e os abraços próprios do indiscutível prazer físico ligado ao sexo — e que, é claro, não tem por que ser excluído, só deve ser devidamente posicionado. Nossos males amenizam-se por meio de vínculos estáveis e não pelas efêmeras satisfações da conquista erótica, que deixam como saldo um vazio, um desespero e uma fraqueza íntima ainda maiores.

Com o passar dos anos, foram ficando evidentes os desdobramentos da revolução sexual dos anos 60. Encaminhou-se na direção do agravamento da rivalidade entre os sexos, o que determinou mais um fator negativo para o bom entendimento amoroso. Além disso, o estímulo à busca de destaque social e sucesso nos planos profissional e financeiro cresceu também entre as mulheres — sem que deixassem de se preocupar com o máximo aprimoramento do poder sensual derivado da beleza e sensualidade físicas. Assim, a competição entre homens, entre mulheres e entre homens e mulheres só cresceu ao longo das décadas. O que aconteceu? A deterioração ainda maior das relações de amizade e dos elos amorosos. As pessoas vêm se tornando cada vez mais competitivas e ao mesmo tempo mais inseguras e deprimidas. Elas estão cada vez mais fracas e, portanto, submetidas às pressões do meio social — hoje todo voltado para o consumismo e para o desejo de progredir financeiramente a qualquer preço.

Não sei se era essa a expectativa das minorias poderosas nem se elas têm consciência do modo como atuam. É fato que esses acontecimentos estão a serviço de seus interesses e foram incorporados como de grande utilidade para a perpetuação de seus privilégios. **Assim, as elites conservadoras aderiram mais ou menos rapidamente à revolução sexual. Agiram dessa forma logo que per-**

ceberam que a libertação sexual não ameaçava a estrutura social que elas defendiam. A busca de sucesso e o agravamento da competição entre as pessoas surtiram um efeito destrutivo sobre os elos afetivos; as amizades foram ficando cada vez mais raras, e os relacionamentos amorosos, menos estáveis. O interesse em assuntos relativos à integração grupal — trabalhos comunitários de todo tipo — tornou-se menos intenso.

Acho interessante que as minorias que pretendem a perpetuação da fraqueza humana ainda não tenham se dado conta do poder do amor e das amizades como essenciais para o fortalecimento interior das pessoas. Já perceberam que o sexo não só é inofensivo, como sua liberação atiça a disputa e semeia a discórdia entre as pessoas, condição que as enfraquece e as torna mais submissas às pressões externas. Como o agravamento das tensões entre as pessoas determinou uma piora nas relações de intimidade, estas entraram em crise. Os adultos sérios estão começando a se interessar por entender o fenômeno amoroso, antes tido como sentimento menor, como pieguice juvenil ou como utopia inatingível. Hoje, assistimos a uma importante tendência para a melhora das relações afetivas, o que, ao menos em parte, deriva da maior compreensão que pudemos ter sobre os sentimentos que unem intimamente as pessoas.

Esse avanço nos relacionamentos amorosos é um perigoso inimigo do tipo de ordem social no qual estamos vivendo. É o amor, e não o sexo, o verdadeiro inimigo do consumismo desvairado e da competição grosseira e desleal que visa ao sucesso a qualquer custo. A realização dos anseios amorosos — tanto os relacionados com as amizades como aqueles que dizem respeito à integração grupal no ambiente de trabalho ou na comunidade em geral, quanto os que determinam o elo estável entre duas pessoas — determina a genuína atenuação do desespero metafísico. A pessoa sente-se significante e protegida ao mesmo tempo e cria as condições para nosso efetivo fortalecimento interior. Esse novo ser humano que está nascendo, a despeito de todas as pressões no sentido contrário, será mais sereno e seguro, de modo que não será presa fácil das pressões externas de qualquer natureza. Assim, apesar das nuvens escuras hoje presentes, a perspectiva é muito encorajadora.

Se observarmos atentamente os fatos, perceberemos que a solidão não é o preço que se paga por condutas que fogem às normas de uma sociedade como a nossa. Ao contrário, solitário ficará quem segui-las ao pé da letra — solitário e despreparado para ficar consigo mesmo. Aqueles que forem muito bem-sucedidos segundo os padrões em vigor estarão cercados de mulheres — ou de homens — e de "ouro", mas não terão amigos, e sim bajuladores interesseiros.

O REBELDE: UMA PROPOSTA DE COMPORTAMENTO ALTERNATIVO

Nossas vivências pessoais e profissionais não nos autorizam posicionamentos ingênuos sobre a vida em sociedade. Estamos sujeitos a vários tipos de represália quando agimos de forma incomum ou quando buscamos um modo de vida próprio, ainda que em nada prejudiquemos a vida das outras pessoas. Dentre as represálias, não tenho dúvida de que a que mais pode nos prejudicar é a de natureza econômica. Assim, ao agirmos em desacordo com o convencional, poderemos estar sujeitos a sanções materiais relevantes. **Somos ameaçados pelo desafeto e pelo fato de não sermos prestigiados pelo grupo majoritário. Apesar de inicialmente podermos nos assustar muito com esses riscos, na prática eles são menos graves. Isso porque, ao perdermos o amor e a admiração de pessoas que se decepcionam com nosso comportamento, estaremos encantando e impressionando positivamente outras.** Perdemos alguns amigos e admiradores e ganhamos outros, talvez mais sinceros, porque nos conhecem como somos de fato.

Muitas das críticas dirigidas àqueles que se comportam de modo extravagante estão fundadas na inveja. A maior parte das pessoas gostaria de agir como eles e não tem coragem de ousar e correr o risco de, ao se colocar de maneira mais sincera, receber sinais de desaprovação. **Indubitavelmente, por trás da inveja estão a admiração e a falta de coragem de se comportar de acordo com o que é valorizado.** Assim, as manifestações hostis relativas à inveja correspondem a uma forma sutil de elogio, a um modo de prestigiar aquele que, em aparência, está sendo agredido.

Nossas defesas contra a represália econômica são muito mais frágeis. É bom esclarecer que ela não acontece apenas como manifestação da inveja. Pode estar relacionada com ofensa a valores defendidos pelo grupo social majoritário. Várias são as atividades profissionais das quais se esperam determinadas posturas, algumas delas avaliadas de um modo superficial e apenas relacionadas com a manutenção de aparências. O não-cumprimento determina uma desconfiança que poderá trazer conseqüências negativas para a pessoa. Alguns exemplos ilustram o que pretendo transmitir. Um professor que decida se declarar homossexual poderá perder sua posição profissional e não conseguir colocação em outra escola, mesmo que não se saiba se sua maneira de ser trará algum malefício para os alunos. Um médico boêmio e brincalhão poderá ser visto como menos responsável do que se espera de alguém que exerça esse tipo de atividade, condição na qual terá dificuldade em ter um bom número de clientes, ainda que sua competência seja indiscutível. Um diretor de empresa deverá se vestir adequadamente com terno e gravatas finas sob pena de ser malvisto e ter sua competência contestada.

O meio social exige condutas que estejam de acordo com as expectativas e com os padrões estabelecidos muito mais das pessoas que exercem determinados tipos de atividade do que daquelas cuja ocupação é, como regra, menos valorizada — o que não implica ganhos financeiros menores, e sim menor prestígio social. Assim, um pipoqueiro, um pequeno proprietário rural ou um comerciante dependem muito menos disso — que costumamos chamar de opinião pública — do que o profissional liberal, o professor, o político etc. **O inverso também ocorre, de modo que se esperam com-**

portamentos extravagantes dos artistas e dos intelectuais de grande gênio, que decepcionam quando se mostram parecidos com a grande maioria das pessoas. Eles existem para alimentar o sonho de liberdade das pessoas em geral, que, ao se identificarem com eles e com seus personagens, se transportam, no imaginário, para uma vida que não lhes pertence. Isso pode atenuar — e até aumentar — a frustração pela vida tediosa da maioria.

Minha posição a respeito é a seguinte: poucos de nós temos condição psicológica para romper de forma radical e definitiva com o processo socioeconômico relacionado com uma vida concretamente produtiva. Esse talvez tenha sido um dos graves equívocos cometidos pelo movimento dos jovens dos anos 60. Duas razões me levam a pensar assim. A primeira é que não podemos subestimar a tentação que determinados bens de consumo exercem sobre todos nós. Ao nos posicionarmos de modo que implique drásticas renúncias aos bens materiais, estaremos permitindo o crescimento de uma importante frustração íntima, a qual, com o tempo, minará nossas forças interiores e acabará determinando uma reversão radical de nossa posição. O mecanismo é similar ao que acontece com uma pessoa obesa que, ao se submeter a uma dieta restritiva severa por algumas semanas, acumulará uma mágoa que provocará uma tendência radical oposta capaz de levá-la, em poucos dias, a engordar todos os quilos que perdeu e mais um pouco. A segunda razão se refere à necessidade que a maior parte de nós tem de manter o cérebro razoavelmente ocupado. Não são muitas as pessoas que têm disciplina interior para fazer isso sem que tenham algum tipo de compromisso com outras pessoas ou instituições, e são raras as que, sem uma atividade sistemática envolvendo terceiros, não ficam propensas ao uso de álcool ou outro tipo de droga. Poucas serão as que não viverão em um permanente estado depressivo. Assim, não é prudente negligenciarmos o preparo que necessitamos caso desejemos mesmo romper definitivamente com o mundo do trabalho.

Estou tratando da questão da liberdade, de modo que não poderia cometer um engano grosseiro apresentando fórmulas e soluções. Ao contrário, tenho me oposto sistematicamente àqueles que acham importante transmitir receitas prontas de como devemos ser, agir e, principalmente, sentir. Tais procedimentos, exercidos por pessoas nem sempre honestas intelectualmente, têm vida curta e não ajudam as pessoas a pensar de forma profunda sobre si mesmas e suas reais aspirações. Cada um de nós deverá buscar encontrar por si mesmo seus caminhos, suas soluções para os dilemas da existência — levando em conta suas propriedades psíquicas —, suas aspirações materiais e intelectuais, sua capacidade de fazer concessões ao sistema social e econômico em que vive, e assim por diante. Ao nos conhecermos melhor, ganharemos força para pensarmos mais livremente acerca de nossa existência. Poderemos parar de agir de acordo com a média do comportamento da comunidade e buscar um padrão próprio. Em vez de usarmos uma "roupa pronta", poderemos nos dar ao luxo de usar algo feito especialmente para nós. **Poderemos usar nossa criatividade visando à construção de um estilo de vida coerente com nossos pontos de vista e com nossas propriedades psíquicas, condição na qual estaremos exercendo o privilégio da liberdade — para a qual não pode existir um modelo único, posto que somos todos diferentes.**

Cabe o registro do exemplo pessoal. Há muitos anos fiquei fascinado pelo modo de ser que pode ser chamado de "rebelde", fascínio que o tempo não atenuou. O rebelde distingue-se claramente do revolucionário, uma vez que este último se opõe radicalmente a dado sistema social, rompe com ele e luta para destruí-lo. Costuma ser movido pela convicção de que existe outra solução, mais consistente e mais justa, para os dilemas da vida individual e coletiva, acredita ser seu dever lutar para que a nova solução vingue e normalmente é uma figura épica, grandiosa e heróica. Por conta de sua visibilidade, torna-se alvo fácil de seus oponentes, que em geral o destroem mais ou menos rapidamente. Por sua personalidade e pelo tipo de convicção intelectual que tem, é um ser prepotente e autoritário, uma nova versão dos velhos donos da verdade. Não é compreensivo e muito menos tolerante para com as diferenças de pontos de vista, o que, para mim, faz que não seja um amante genuíno da liberdade.

As minorias revolucionárias, que habitualmente se formam em torno de um ideal político, religioso ou mesmo relacionado com algum modo de vida radicalmente diferente do usual, costumam ter uma visão muito positiva de si mesmas. Consideram-se portadoras de um saber superior e é isso que as autoriza a tentar impor suas idéias até pela força. Têm aquele ar típico dos que olham com desprezo para os que não compartilham seus ideais. Esse novo tipo de elitismo costuma padecer de todos os males daquele que pretende destruir. **Seres humanos que tenham pontos de vista radicalmente opostos, mas que estejam em um mesmo estágio de desenvolvimento emocional, tendem a construir realidades muito parecidas! Tudo nos leva a crer que as idéias e os ideais contam menos do que o avanço interior quando o objetivo é a construção de uma nova forma de vida social.**

O rebelde, por sua vez, corresponde a uma figura muito menos épica ou heróica, o que vale dizer que sua vaidade se exerce menos por essa via — o que é bom, uma vez que é sempre conveniente conseguirmos evitar a influência desse ingrediente erótico em nossas decisões fundamentais. Ele age de modo mais realista, usando o lado prático de sua inteligência, aquele que determina a esperteza. **Participa do meio social e faz apenas as concessões necessárias para não ser marginalizado. Continua sendo membro integrante do grupo social ao qual pertence e pode até chegar a ter algum poder dentro dele. A partir daí, é capaz de contribuir — em um trabalho modesto e limitado — para minar certos alicerces que considera falsos e, pelo exemplo pessoal, influir no modo de vida de outras pessoas de seu grupo.** Não é ingênuo com relação às limitações dos seres humanos, muito menos às suas. Vive e participa da engrenagem social, de modo que não será seduzido com tanta facilidade por utopias, o que costuma acontecer com aqueles que passam a maior parte do tempo sonhando. **Desenvolve a habilidade de exercer sua atividade profissional, necessária e gratificante, no seio de relacionamentos humanos reais, tendo consciência de que neles grassam a inveja, a ambição, o ciúme, a vaidade exacerbada que gera a deslealdade etc.** Nesse contexto, tenta garantir para si a máxima liberdade, ser livre em sua vida privada e sobretudo como ser que pensa.

Assim, o rebelde torna-se uma criatura muito mais perigosa e ameaçadora para um sistema social estabelecido do que o revolucionário. Conhece o sistema por dentro, não pode ser reconhecido com facilidade, mas tem influência efetiva em dado meio social. Penso que se trata de uma postura mais coerente, que ofende menos nossos anseios individuais — tanto os relacionados com o acesso aos bens materiais como os relativos à vaidade, que pede certa dose de prestígio. Pode, por isso mesmo, ser um padrão de conduta que perdure por toda a vida, diferentemente do que acontece com o revolucionário, que costuma ser atuante apenas nos anos da juventude.

O rebelde tem um tipo de gratificação da vaidade mais singelo, mais parecido com o dos homens comuns que buscam algum destaque, sucesso e admiração de seus pares. O revolucionário posiciona-se como

um salvador messiânico e se sente muito elevado em decorrência da magnitude de suas renúncias pessoais. O rebelde é um ser menos purificado, mais comum, que também tem alguma "sujeira nas mãos". Pode parecer menos digno e menos grandioso do que o revolucionário, e talvez até se sinta assim em alguma época em que se veja compelido a se comparar com ele.

Essas observações — mais do que tudo pessoais — não têm por objetivo induzir comportamentos similares em outras pessoas, mas apenas servir de subsídio para a reflexão individual e para a busca de soluções condizentes com o modo de ser e de pensar de cada um. **Estou tentando enfatizar minha convicção de que existe em todas as sociedades um espaço para a liberdade individual bem maior do que se costuma pensar, o qual pode ser utilizado mesmo por aqueles que estão economicamente engajados no sistema.** Nossos medos, íntimos, vagos e derivados de várias fontes, é que fazem que não o ocupemos. Se os fatores externos, ligados à necessidade que temos de não perder o sustento material, fossem a principal causa que nos limita a liberdade, então deveríamos observar homens mais livres entre aqueles que são ricos. Eles poderiam viver de acordo com suas convicções sem temer as represálias e punições do meio.

Em outras palavras, ao menos aqueles que fazem parte das minorias opressoras deveriam estar bem, uma vez que não estão sujeitos às pressões que impõem aos oprimidos. Não é o que verificamos na reali-

dade, na qual os opressores também estão oprimidos. Existem indivíduos cujo comportamento se aproxima do que podemos chamar de livre; eles não fazem parte de um grupo social específico, o que nos leva a pensar que foram capazes de um avanço interior que lhes permitiu viver de acordo com suas convicções. Entre os ricos, mais do que em qualquer outro grupo da sociedade, há a recíproca fiscalização sobre os hábitos de vida, como se vestem, como decoram suas casas, como se comportam à mesa etc. É enorme o medo que têm de ser chamados de "bregas", indivíduos sem gosto estético apurado, sem requintes gastronômicos, que não conhecem tais pessoas e tais lugares. São extremamente contidos em seus modos sociais, ostentam alegria e felicidade falsas, não podem agir com naturalidade na hora de rir ou de se sentar. Estão obrigados a representar um rígido papel estereotipado e tedioso o tempo todo.

Tive a oportunidade de conhecer algumas pessoas que, por infortúnios comerciais, perderam sua posição e a maior parte do dinheiro que possuíam. Após a inevitável depressão determinada pela queda e pela derrota, conheceram uma formidável sensação de liberdade, de não terem mais de representar. Puderam viver da forma simples de que sempre gostaram, livrar-se dos compromissos sociais que sentiam como fúteis e vazios. É possível que cresça o número de pessoas que não esperam um fracasso para mudar de vida, que percebam que a riqueza exagerada e o modo de vida que costuma acompanhá-la implicam mais a restrição à liberdade individual do que privilégios. Não são poucos aqueles que, vivendo em luxuosas mansões e cercados de muitos empregados, sonham com — ou se lembram com saudade de — uma casa simples, com uma simples pizza nas noites de domingo.

COMPORTAMENTOS EXTRAVAGANTES: O MEIO SOCIAL PROMETE CASTIGOS SEM CONDIÇÕES DE CUMPRIR

Tenho usado o exemplo do comportamento dos artistas porque ele nos mostra, de forma clara, as limitações do meio social no que diz respeito à punição possível das condutas divergentes. Os recursos repressivos são modestos, principalmente porque os artistas são muito admirados pela população em geral exatamente pela coragem de agir de modo extravagante. Por serem muito conhecidos e valorizados, tornam-se "intocáveis". Apesar de serem objeto de profunda inveja — que se expressa pelas costumeiras maledicências que se fazem contra eles —, os artistas representam importante papel social, uma vez que são o alimento para os devaneios libertários daquela maioria que se comporta conforme os costumes mais tradicionais. Isso significa que todos sonhamos com uma liberdade de expressão maior e com um modo de ser e de se apresentar menos estereotipado e mais exuberante. Poderíamos, por essa via inofensiva, exercer o prazer exibicionista típico de nossa vaidade e nos comunicar com aqueles que nos cercam de maneira mais direta, já que a forma como nos portamos e nos vestimos pode ser muito útil como indicador de nossa vida íntima, como sinal capaz de definir a "tribo" à qual pertencemos.

Como nos falta coragem para nos exibirmos assim livremente, sempre temendo represálias vagas e difusas, nos conformamos em acompanhar a vida mais livre e extravagante de nossos artistas favoritos. Assim, essa manifestação mais superficial da liberdade individual — a que está ligada à forma como nos apresentamos — só costuma ser vivida em fantasia. A liberdade, que, assim como o amor, corresponde a um de nossos maiores anseios, tem sido tema de nossos sonhos e não parte de nossas vivências efetivas. Algumas pessoas sentem-se tão atraídas pelo estilo de vida dos artistas que buscam essa atividade não por talento ou vocação, mas para poder desfrutar tal estilo de vida. Talvez possamos, em breve, desfazer esse tipo de associação, de sorte que as pessoas se sintam livres para viver e se exibir de forma própria, independentemente da profissão que tenham escolhido.

Mesmo nos tempos em que os costumes sexuais e familiares eram bem mais rígidos do que os atuais, os artistas gozavam uma liberdade maior do que a média da população. Os escândalos sexuais em que se envolviam não raramente aumentavam sua popularidade e determinavam a veiculação de mais notícias a seu respeito. Alguns, em determinadas épocas e em certos países, foram perseguidos por serem homossexuais — essa, porém, não foi a regra, apesar de haver muitos deles entre os artistas. Eram malfalados e ao mesmo tempo despertavam o encantamento das pessoas pela coragem que tinham de se guiar de acordo com suas vontades e convicções. Não só não estiveram sujeitos a dramáticas represálias sociais como muitos deles foram recebidos com honras até por famílias tradicionais e conservadoras, sempre muito orgulhosas de terem em seu seio pessoas famosas. Embora recebessem bem os artistas, essas famílias jamais aceitariam que um filho — particularmente uma filha — se interessasse por esse tipo de vida. Tais contradições demonstram a duplicidade de sentimentos que uma vida menos convencional provoca no íntimo das pessoas, mesmo das que aparentam convicção sólida de suas posições conservadoras.

É importante enfatizar o fato de que atores, pintores, escritores e outros artistas jamais pagaram o preço da solidão, da rejeição e do desprestígio social em razão de conduta extravagante. Isso não aconteceu nem mesmo com aqueles que agiram de forma radical, chocando a opinião pública. Sua vida pessoal sempre foi atribulada em decorrência de fatores íntimos ou dos problemas derivados do próprio exercício de sua atividade — necessidade de viajar e se afastar do parceiro por longo tempo, instabilidade de humor, dificuldade de lidar com a fama e com o dinheiro, fascínio por novidades, drogas etc.

Um dos aspectos mais interessantes do movimento emancipatório dos anos 60 foi o rompimento com todos os padrões de comportamento externo vigentes até então. Os moços *hippies* passaram a usar sandálias, bolsas a tiracolo, camisetas bordadas e outras vestes até então típicas das moças — e usadas apenas por alguns homossexuais muito ousados. Romperam também com os padrões de vida relacionados com a dedicação total ao trabalho e a busca do sucesso e da ascensão social e econômica. Passaram a se interessar por misticismo, por formas orientais de pensar e de viver, por um estilo de vida mais simples e voltado para a natureza — estilo que foi o precursor dos movimentos ecológicos das décadas posteriores. Os rapazes, com longos cabelos, corpo magro e gestos mais delicados, despertaram enorme fascínio em muitas moças. Assim, eles não pagaram o preço da solidão e do desprestígio por se comportarem de modo ousado e revolucionário. Atraíram o fascínio e o amor de muitas das mais inteligentes e belas mulheres de sua geração. Suas propostas anticonsumista, pacifista e de maior liberdade sexual impactaram positivamente uma camada significativa da população.

Chamaram a atenção justamente por não quererem coisa alguma em uma época em que a maioria dos rapazes se empenhava arduamente na luta competitiva para atingir o sucesso pelas vias convencionais. Formaram um subgrupo com algumas idéias e ideais em comum e eram reconhecidos rapidamente pelo modo como se vestiam e se portavam. Tiveram amigos entre seus pares, além de terem sido admirados e invejados por muitos daqueles que não se sentiam com coragem para agir de forma parecida. Pretenderam construir um estilo de vida mais livre do ponto de vista sexual e sentimental, de sorte que possessividade e ciúme não eram bem-vistos. Tentaram se organizar em comunidades com a finalidade de baratear o custo de sua vida e de constituir relações de intimidade com vários parceiros. Cruzaram os braços e se recusaram a fazer parte da sociedade de consumo nascente, assim como foram contra as guerras que então envolviam alguns países. Tornaram-se artesãos e por essa via tentaram ganhar o suficiente para a vida simples que almejavam. Foram autores de uma proposta de vida alegre e saudável, infelizmente destruída por eles mesmos e pela ingenuidade com que trataram certos temas de nossa subjetividade — em especial o ciúme —, além de terem subestimado os malefícios do uso sistemático das drogas.

É importante compreendermos que as propostas libertárias dos *hippies* jamais se apagaram completamente, permanecendo como a brasa final de uma lareira, sempre pronta a reacender de uma hora para a outra, bastando para isso que se coloque lenha. Jovens das décadas seguintes tornaram-se *punks,* jamais abandonaram o fascínio pelo *rock'n'roll* e sempre se dividiram em "tribos" facilmente reconhecíveis, que têm em comum alguns ídolos e determinados maneirismos. Os movimentos ligados à preservação da natureza se fortaleceram, o número dos amantes de um estilo de vida que tem sido chamado de "simplicidade voluntária" vem crescendo e o gosto por um modo de viver mais livre e extravagante pode voltar a incendiar a mente dos jovens — e de muitos adultos — a qualquer momento.

O meio social, por mais conservador que seja, tem muita dificuldade para coibir as manifestações indi-

viduais de liberdade. Uma das razões dessa fraqueza reside no fato de que a maioria das pessoas sente forte admiração por condutas extravagantes e quer agir dessa forma. A inveja proveniente da mesma admiração pode se manifestar como um reforço das críticas repressivas. **O fato é que, afora as críticas, a sociedade pode pouco contra modos de ser não muito usuais que não estejam em desacordo com as leis.** Aqueles que se comportam de forma menos convencional só podem ser ameaçados de rejeição ou de resistência à evolução profissional e material dentro de dada empresa ou instituição. Tais ameaças se cumprem com dificuldade, uma vez que, como já registrei, sempre que somos rejeitados por certo grupo de pessoas ganhamos a simpatia de outro.

Apesar de ser evidente que o exercício cauteloso da liberdade — que não fere os direitos alheios e obedece ao que determina a lei — não está sujeito a nenhuma represália mais grave, as pessoas que se sentem intimidadas estão submetidas a fatores limitadores íntimos. Estes correspondem a nossos verdadeiros impedimentos. Tais processos intrapsíquicos estão presentes em todos nós em graus variados, independentemente da inteligência e do preparo intelectual que tenhamos. É importante que não usemos a inteligência para explicar nossas limitações em razão da existência de elementos repressivos que de fato existem e estão presentes no seio da estrutura social, mas não são a verdadeira causa da falta de coragem que eventualmente possa nos paralisar. Se atribuirmos ao meio externo o poder repressor, complicaremos ainda mais a questão, uma vez que os argumentos lógicos, mesmo que não verdadeiros, poderão ser importante fator de intimidação da população em geral, que tem nas pessoas mais inteligentes uma referência importante.

O que acabou acontecendo é que muitos dos intelectuais que mais têm lutado para a modificação das estruturas sociais injustas são os que mais lhes atribuem uma força e um poder maiores do que possuem. Incapazes de uma atitude libertária individual, empenham-se na luta pela destruição total do sistema social, condição na qual atingiriam a própria liberdade. **É profunda minha convicção de que a libertação individual é o início e não o fim do processo.** Tais observações me remetem à piada do milionário que, depois de um ano de trabalho estafante, tira férias e vai para a beira do rio pescar. Fica perplexo e irritado com um caipira, que jamais trabalhou e está fazendo o mesmo a seu lado. Trata de convencer o pobre coitado das vantagens de se esforçar mais, de trabalhar com afinco. "Para quê?", pergunta o caipira. O milionário responde: "Para se sentir bem e relaxado nas férias e poder, com serenidade, pescar na beira de um rio". O caipira replica: "Isso eu já estou fazendo!"

6 seis CONCLUSÕES

JÁ QUE SOMOS TODOS DIFERENTES, O RESPEITO SE IMPÕE

Escrever me provoca uma série de sensações diversas. Reescrever sobre o mesmo tema vinte anos depois desperta em mim uma variedade ainda maior de emoções. Tenho experimentado um inesperado prazer ao voltar a lidar com o tema da liberdade e com o livro que escrevi em 1983, *Ser livre*. É gratificante reconhecer que muitos dos conceitos que defendi na época ainda são aqueles em que acredito hoje. Percebi em que pude avançar e quanto era mais ousado naquela época. Notei que aprendi a me comunicar melhor, o que não significa que esteja pensando melhor nem com mais profundidade e rigor. **Ao mesmo tempo, entendi com mais clareza e serenidade que entre dois cérebros existe um abismo intransponível. Compreendi que existe também um abismo entre o que estamos pensando e sentindo e o que conseguimos escrever.** Não pude deixar de tentar me comunicar melhor por meio da repetição de um mesmo conceito em diferentes contextos. Nem assim me livro da sensação de que não fui suficientemente claro, o que provoca certa frustração. De todo modo, tais limitações são obrigatórias e apenas nos lembram que a linguagem é apenas uma representação — empobrecedora — de nossas sensações e emoções.

Não conseguirei resistir, nestas conclusões, à tentação de, uma vez mais, enfatizar os conceitos fundamentais que formam os pontos de vista que venho defendendo. **A questão da liberdade guarda semelhanças com a do amor, uma vez que ambos correspondem a anseios essenciais de todos nós e são componentes básicos da sensação de harmonia, plenitude e alegria íntima que constituem o estado que chamamos de felicidade.** Assim como o amor, o tema tem sido pouco estudado por profissionais de psicologia, de modo que se usa a palavra "liberdade" sem a devida e clara definição. Como acontece com o amor, todos desejam se sentir livres, mas acham que isso é impossível ou, então, desconhecem os caminhos que têm de ser percorridos para que se chegue lá. Ambos os sentimentos costumam estar presentes no imaginário, e a vida real e cotidiana é carente deles.

Para a maior parte das pessoas, atingir o estado de liberdade depende de alterações da vida social, que é repressiva e impõe um modo de vida estereotipado a todos nós. Nessas condições, a questão ganha caráter político, já que o objetivo passa a ser a substituição daquela ordem social por outro modo mais livre de vida em grupo. Outras concepções associam a liberdade à transcendência e à superação da condição humana. Os adeptos das doutrinas dominantes no Oriente sempre buscaram uma aproximação dos homens com o cosmo e a harmonia por meio da meditação, via na qual existe uma tendência à negação da importância da realidade exterior e, em certo sentido, até do próprio Eu.

Assim, nossa libertação aparece como dependente do sucesso em uma luta com o meio exterior, pela qual consigamos construir uma sociedade menos repressiva, ou como um processo interior de negação de nossas peculiaridades humanas e conseqüente transcendência. Em nenhum dos dois casos o caminho da liberdade passa pelo autoconhecimento, pela compreensão dos mecanismos de funcionamento de nosso psiquismo. A questão é colocada para fora ou para cima, nunca para dentro. Todo o meu empenho pode ser resumido no esforço de focar a questão em nossa psicologia. Tenho tentado, nesse tema e no do amor, aprofundar o autoconhecimento sempre com o objetivo de sermos felizes e livres na vida real e não apenas no mundo dos devaneios e das idéias.

Gosto muito de supor que tenho contribuído para que as pessoas renunciem à tradicional disposição de fugir da realidade e se disponham a um mergulho sincero em sua subjetividade. Acho que temos evitado um convívio mais sincero com nossas peculiaridades desde o início, desde que tivemos acesso à linguagem e a algum conhecimento de nossa condição. Não gostamos do que vimos e começamos a inventar para nós peculiaridades mais adequadas a nossa satisfação imediata. Passamos a nos enganar e temos cada vez mais nos perdido de nós mesmos. Esse processo, deliberado ou não, de fuga da verdade tem de ser interrompido caso queiramos evoluir como criaturas reais.

Não creio que possamos pensar na liberdade sem que sejamos capazes de nos resgatar e reaver aquilo que perdemos ao longo dos milênios, em que só refletimos e produzimos concepções, religiosas ou não, um tanto equivocadas. Já fui claro acerca do modo como uso a palavra "verdade" e espero ser entendido corretamente, ao menos nesse ponto. Isso não significa que tenha perdido o rigor e que não saiba que tudo que hoje nos parece verdadeiro poderá deixar de sê-lo em breve. Apenas me refiro às peculiaridades de nossa condição, cujo conhecimento nos provoca sensações suficientemente amargas e dolorosas para que tenhamos nos empenhado em fazer que elas saíssem de nossa consciência. **O caminho da libertação é o oposto: só conseguiremos lidar melhor com o que nos provoca tanta dor se nos expusermos a isso.** Ao nos familiarizarmos com todas as nossas propriedades cósmicas dolorosas, passaremos pelo processo de aprender a conviver com elas a ponto de aceitá-las sem tanto sofrimento. Nossa capacidade de adaptação é suficiente para o exercício dessa tarefa e de outras maiores. Isso cria condições para que possamos tomar uma rota mais consistente e mais sincera. Assim, estaremos aumentando muito nossa chance de chegar a algo bom, alegre e coerente.

O caminho da liberdade, portanto, passa pela constatação e aceitação de nossas verdadeiras propriedades. É um processo que exige atenção e esforço permanente, pois sabemos que tudo que hoje nos parece verdadeiro será superado por pontos de vista mais criteriosos e por observações mais acuradas que faremos no futuro. Quando isso acontecer, teremos de ter a humildade de abrir mão daquelas que foram nossas "verdades" até então e que nos pareceram válidas por tanto tempo. Esse é um dos aspectos mais fascinantes da ciência e do mergulho introspectivo. Trata-se de processos dinâmicos, nos quais sempre acontecerá a superação daquilo que até então era tido como o máximo saber.

É sempre bom recordarmos que uma das peculiaridades que nos dói mais é a consciência de nossa insignificância cósmica. Por mais que tentemos nos esquecer dessa verdade, somos obrigados a pensar nela de tempos em tempos. Ao fazê-lo com mais freqüência e firmeza, aprendemos a conviver com o fato de forma cada vez menos dolorosa. Essa consciência também nos leva a pensar sobre nós mesmos como criaturas iguais aos outros humanos que nos cercam. É fato que, do ponto de vista da referência cósmica, as diferenças são totalmente irrelevantes. A idéia de igualdade perante Deus tem sido usada para minimizar as enormes diferenças entre nós e nossos semelhantes. Ou seja, se usarmos o referencial relativo e nos compararmos uns com os outros, perceberemos a existência de características próprias de cada um. Muitos são os indivíduos que não vêem com bons olhos o fato de existirem grandes diferenças biológicas entre nós. Isso é particularmente verdadeiro para a inteligência; muitos idealistas — aqueles para quem as idéias acabam valendo mais do que os fatos — atribuem as diferenças observadas a razões derivadas do estilo de vida e das condições materiais vividas por nós durante os anos de formação, e não a fatores inatos e, portanto, mais definitivos.

Menos pessoas implicam com a existência de outras diferenças biológicas presentes em nossa espécie. Somos diferentes quanto à estatura, ao tamanho dos pés e das mãos, ao tipo e à quantidade de cabelos, à calvície precoce ou não, à cor dos olhos etc. **A implicância com as diferenças biológicas relacionadas com nossa inteligência advém das conseqüências sociológicas dedutíveis com base nesse fato. Isso traz a noção de que as pretensões acerca da possibilidade de construirmos uma sociedade quase igualitária dificilmente poderão se tornar realidade. Não há o que fazer.** Não podemos sustentar um ponto de vista apenas por ser mais simpático ou porque dele derivam concepções mais atraentes, que poderiam gerar boas soluções para os dilemas da vida social. Se não for verdadeiro, não nos conduzirá a parte alguma. A recíproca também é verdadeira e deve ser enfatizada: não vejo o menor sentido em usarmos a constatação de que existem diferenças significativas em algumas de nossas propriedades físicas e psíquicas como justificativa para a construção de ordens sociais discriminadoras e opressoras. Somos seres complexos. **Temos nossas peculiaridades inatas, mas também razão e bom senso para não darmos um destino negativo à consciência de que somos todos diferentes.**

Ao aceitarmos com serenidade nossas diferenças individuais — sem usarmos essa verdade com má-fé —, poderemos nos encaminhar para dois desdobramentos

muito importantes que surgem desse tipo de pensamento. O primeiro é que não é lógico nem mesmo razoável imaginarmos que todas as pessoas devam viver da mesma forma. A conseqüência é óbvia, porém sempre é bom lembrar que temos sido induzidos na direção oposta, qual seja, a de todos vivermos de modo exatamente igual ao das gerações que nos antecederam. A perspectiva libertária que se abre diante de nossos olhos é fascinante. Podemos nos fazer perguntas que jamais havíamos feito, como: "Quero mesmo me casar e ter filhos?", "Quero ter sucesso no trabalho ou viver uma vida mais livre e descompromissada?", "Quero me vestir de forma rica e atraente ou prefiro a liberdade derivada de um modo de ser mais simples?", "Quero morar no país em que nasci ou prefiro ir para outro lugar?", "Quero levar uma vida social ativa ou prefiro o retraimento e os retiros?"

Ao mesmo tempo que podemos "construir" nossa vida e dar um sentido próprio a ela, é preciso compreender que as outras pessoas estarão fazendo o mesmo. Não podemos deixar de nos impor o respeito absoluto pelos outros indivíduos e por suas opções. Cada cérebro registra os fatos de maneira particular e única, tira suas conclusões e se orienta por elas. Não podemos mais cometer o engano de tentar entender e julgar nossos semelhantes tomando por base nossos pensamentos e conclusões, nem mais usar expressões do tipo: "Eu, no lugar dela, jamais teria agido daquela forma". Não sou o outro e não sei exatamente o que se passa dentro dele. Mesmo quando pensamos conhecer muito bem outra pessoa, é sempre bom lembrarmos que há uma parte do outro que não nos é acessível, além de existir em cada um de nós um setor da vida íntima que conhecemos mal. Em minhas "previsões de futuro", não vejo mais as pessoas falando mal umas das outras somente porque pensam e vivem de modo próprio.

Tornamo-nos efetivamente tolerantes e entendemos o que significa respeito humano justamente quando aceitamos, de modo definitivo, sem dor e até com uma crescente sensação de alegria, que somos todos diferentes e que, lógico, viveremos de forma menos padronizada. Trata-se de um grande privilégio, uma conquista resultante dos avanços que temos podido fazer tanto nas áreas da ciência e da tecnologia como na do autoconhecimento. Não tem o menor cabimento sequer fazermos levianas avaliações de ordem moral pela análise das diferenças. Refiro-me ao fato, usual ao longo dos anos que já passaram, de considerarmos "mau-caráter" aquele que não pensa como nós sobre questões como a política ou a vida íntima — especialmente a vida sexual. A análise de qualquer tipo de diferença entre as pessoas tem de ser feita com o máximo critério e com a consciência de que tendemos ao erro por sermos naturais — e indevidos — defensores de nosso ponto de vista; isso deveria nos levar a uma postura de desconfiança em relação aos julgamentos que fazemos daqueles que não pensam como nós.

Outro desdobramento derivado da consciência e alegre aceitação das diferenças que nos distinguem de

nossos semelhantes é que não teremos nenhuma informação útil nem vantagem alguma se continuarmos a nos comparar uns com os outros. Se somos todos diferentes, somos únicos. Se pensarmos com cautela, perceberemos que ganharemos muito pouco se soubermos se somos mais — ou menos — inteligentes, bonitos ou encantadores do que outras criaturas. **Se usarmos as conclusões baseadas nesse tipo de operação psíquica para construir a auto-avaliação que determinará nossa auto-estima, viveremos um verdadeiro inferno interior. A cada instante teremos um juízo diferente sobre nós mesmos, dependendo da pessoa com a qual estejamos nos comparando.**

Aos que desejarem um pouco mais de rigor no modo de pensar, a única solução será tentar compreender e avaliar a si mesmo por meio de critérios próprios e derivados da consciência do próprio potencial. Não preciso me achar mais ou menos do que fulano ou sicrano para me sentir bem. Preciso conhecer a mim mesmo o melhor possível, saber quais são meus talentos e minhas limitações e tratar de administrar minha vida segundo meus dotes. Deveria tentar ser o melhor Eu que conseguir. Comparar-me com os outros poderá fazer bem a minha vaidade — em caso de me achar superior — ou me encher de inveja. Nenhum dos dois sentimentos me ajudará a evoluir. Como não conseguimos deixar de nos comparar com algum referencial relativo, reafirmo minha sugestão de que nos comparemos com nós mesmos. **Ou seja, sinto-me bem e posso me considerar alguém que está**

progredindo se hoje eu julgar que estou melhor do que, por exemplo, há dez anos. Posso me sentir regredindo, encalhado ou em evolução. Essa operação parece-me muito mais útil, pois pode fornecer importantes dados acerca de como estou usufruindo minha vida.

NEM TUDO QUE É IMPORTANTE É ÚTIL E NEM TUDO QUE É ÚTIL É PRAZEROSO

O costume que desenvolvemos de sempre nos compararmos uns com os outros deu ensejo a vários outros problemas ligados à utilização de nossa razão. Um deles, extremamente importante quando estamos tentando construir os alicerces da liberdade humana, tem que ver com a maneira como construímos nossos valores. Refiro-me, de modo especial, aos critérios que utilizamos para definir o que é importante e, acima de tudo, como nos classificamos, desse ponto de vista. Ou seja, qual a seqüência de pensamentos que nos leva a atribuir maior importância a esta ou àquela pessoa, a esta ou àquela atividade humana. Se pararmos um instante para refletirmos sobre nós mesmos, veremos que compreendemos muito mal como funciona nossa razão, essa parte do psiquismo com a qual convivemos mais diretamente, a que está escrevendo este livro e a que o está lendo. A psicologia do século XX ocupou-se mais dos instintos do que da razão. **É urgente voltarmos a nos preocupar com nosso modo de pensar, a buscar o rigor e a propriedade em nossas conclusões, a correlacionar os fatos com redobrada cautela e eficiência. Temos de ficar**

mais atentos às interferências capazes de perturbar a lógica do raciocínio, as quais nos têm induzido a erro.

Essa postura mais negligente com o rigor do pensamento racional cria as condições propícias para que inverdades derivadas de equívocos por vezes grosseiros ganhem notoriedade fácil. É preciso trabalhar contra essa tendência, que só pode nos levar a resultados negativos — o que, na prática, significa piora da qualidade de vida e afastamento dos objetivos maiores da existência. **Quando penso na razão, sempre vejo que o principal obstáculo a sua melhor utilização reside na desatenção que costumamos ter para com a interferência de processos instintivos ou emocionais.** Não é tão difícil percebermos, por exemplo, como o medo pode modificar o curso de um raciocínio e nos levar a conclusões falsas. O medo do fracasso sexual pode se esconder sob o manto de uma postura moralista. O medo da dor relacionada com a perda amorosa pode se esconder por trás de um estilo de vida solitário. O medo de fracassar em uma atividade competitiva pode fazer o indivíduo preferir a segurança do serviço público. E cabe registrar o mais importante de todos os medos, que é o medo da felicidade — que será o tema do item final. Se é fato que estarmos muito contentes faz que sintamos uma sensação de pânico, de medo forte e difuso, certamente tenderemos a desviar nosso raciocínio e nossos projetos em uma direção errada, que nos afastará dos reais objetivos.

O importante é que nem sempre percebemos a interferência das emoções em nossas ações equivoca-

das e dos pensamentos que nos desviam da rota que nos interessa percorrer. Raramente notamos que o medo da felicidade está nos empurrando para um desvio que terá conseqüências negativas — até porque, quando agimos de modo destrutivo, o fazemos escondidos de nós mesmos. Igualmente, não é comum termos claro que a crítica que dirigimos a dada pessoa ou a uma obra sua deriva da inveja que ela nos provoca nem sabermos que boa parte de nossa motivação deriva da raiva e do desejo de vingança que possamos sentir em relação a uma ou a várias pessoas. **Quero deixar registrado que o fato de nos apercebermos da interferência de emoções e sentimentos em nosso processo racional pode nos ajudar muito a circunscrever nossos enganos. No entanto, não devemos nos iludir e achar que a simples consciência seja suficiente para interromper a seqüência de equívocos.**

A interferência mais grave e sutil a que nossa razão está sujeita tem que ver com a vaidade. Esse componente de nosso instinto sexual — que nos impulsiona a chamarmos a atenção das pessoas e a atrairmos olhares de desejo e admiração a qualquer custo — encontra solo fértil em nossa razão sempre sofrida e às voltas com as questões principais que não param de nos atormentar. A vaidade pede destaque e notoriedade, o que atenua a sensação negativa que a verdade de nossa condição provoca. A razão, que está sempre buscando um remédio para a insignificância, encontra na vaidade uma grande aliada. Por essa via, a sexualidade se transforma em importante motor de nossas atividades, entre elas as de natureza intelectual. É esse ingrediente da sexualidade que tem se constituído em nossa força motriz fundamental. Não creio que possamos esperar resultados muito bons dessa intromissão, tampouco que devamos ter uma postura passiva e conformada. A associação entre a razão e a vaidade não é definitiva nem própria de nossa natureza. Razão e vaidade são propriedades biológicas, mas isso não implica que tenham de se associar e operar juntas da forma que tem acontecido até agora.

Um dos desdobramentos da interferência da vaidade no processo racional tem que ver com o desejo que passamos a ter de nos tornarmos especiais e destacados em decorrência de nossas atividades intelectuais e profissionais. A meta é o destaque pela via da razão e não apenas pelos caminhos da aparência física ou da força muscular. A vaidade acoplada à razão nos leva à busca de uma condição que chamamos de importância, que significa muito pouca coisa, além do destaque derivado de alguma atividade. As próprias pessoas costumam classificar de importantes as atividades às quais se dedicam, uma vez que o objetivo é sempre o mesmo: sentir-se especiais.

Assim, não existem critérios razoáveis para que se classifique determinado tipo de atividade ou modo de vida como mais ou menos importante. Como cada um trata de atribuir importância a seu modo de ser, há várias classificações do que seja viver de modo importante, engrandecedor ou superior. Os religiosos acreditam que o importante é uma vida austera, asceta e devotada ao aprimoramento da alma; não podem deixar de se sentir elevados e superiores, isso como o subproduto do bem-sucedido esforço pessoal por uma vida adequada aos valores que defendem e pela crescente competência para renunciarem às coisas terrenas. Os ricos e poderosos, por sua vez, consideram-se importantes porque foram os vencedores nas disputas terrenas e os mais espertos e capazes para realizar empreendimentos que geraram obras monumentais. Os rebeldes e revolucionários de todos os tipos acham-se importantes porque conseguem devotar sua existência a causas nobres, voltadas para salvar seus semelhantes da miséria, o planeta da destruição ambiental causada pelo progresso tecnológico grosseiro e indiscriminado etc. A verdade é que todos querem se sentir importantes, distinguir-se dos simples mortais insignificantes, ser admirados — o que significa que desejam ser amados e, muitas vezes, até odiados em decorrência da inveja que despertam.

Quando jovens, nossa razão costuma ser rica em dúvidas relacionadas com a dificuldade que temos de decidir a que tipo de "importância" aderir. Todos queremos ser importantes, notórios, participar de um estilo de vida que nos faça sentir superiores, heróis. Além da indiscutível busca de alimento para nossa vaidade, outro fator impulsiona, particularmente os homens, nessa direção um tanto enganosa: o desejo de chamar a atenção do sexo oposto. Os homens sabem muito bem que o acesso às mulheres depende de provocar nelas a admiração. Assim, aquelas que valorizarem determinado tipo de destaque — o da renúncia material, o da riqueza ou o do rebelde e revolucionário — serão as que ficarão mais facilmente fascinadas por eles à medida que conseguirem se tornar notórios por competências incomuns em alguma dessas direções. Esse reforço pode ser primordial para certos homens, de modo que a decisão acerca de qual destaque buscar poderá ser muito influenciada pelo tipo de mulher que desejam encantar.

Nunca é demais registrar a importância dos reforços que obtemos com base em nossas decisões, condição que nos aproxima muito dos cavalos, cães e outros mamíferos. **Se não tomarmos cuidado, seremos constituídos de um amontoado de reflexos condicionados que se perpetuarão graças aos reforços positivos que poderemos receber ao nos comportarmos de dada forma. A tendência à perpetuação de condutas por essa via, nem sempre escolhidas em decorrência de uma reflexão profunda e acurada, é, pois, muito maior do que pensamos.** Além de seres racionais, somos também ricos em emoções e influenciados por uma enorme seqüência de condicionamentos que nos chegam disfarçados, como se fossem fruto de sofisticada reflexão que desenvolvemos ao longo da vida. O autoconhecimento exige cautela, humildade e rigor.

Assim, em decorrência de uma série de processos intrapsíquicos, costumamos pagar qualquer preço para nos tornarmos criaturas importantes. Dispomo-nos a trabalhar muito mais do que o razoável e necessário, aceitamos sobrecargas de responsabilidade que nos provocam tensões emocionais e grave desgaste físico. Perdemos amigos, nos incompatibilizamos com nossos familiares por causa de nossa desatenção — quando não de uma irritabilidade maior que recai sobre eles. Passamos por cima dos direitos de terceiros, desrespeitamos os valores morais em que acreditamos. Tudo para atingirmos o objetivo programado. E o que acontece quando somos bem-sucedidos? Quase sempre uma forte crise depressiva, em que nos perguntamos se valeram a pena tanto sacrifício, tantas transgressões a nossos valores, tanto desgaste em nossos relacionamentos íntimos. De que vale tudo isso se continuamos a ser mortais e insignificantes? E o mais grave é que, ao fim de tanta luta, nos sentimos mais sozinhos e desamparados do que antes.

Podemos concluir, sem medo de errar, que a administração da vida, que toma como elemento fundamental a vaidade, não nos conduzirá a nada de sólido e gratificante. O balanço será sempre negativo. Teremos, sem notar, desviado do caminho que pode nos conduzir, de forma consistente, a soluções atenuadoras do desamparo e da insignificância e nos afastado dos amigos, parentes queridos e daquelas atividades que são, de fato, socialmente úteis e nos fazem sentir tão bem! **Já sabemos que importância e utilidade só estão em sintonia por mera coincidência, que as atividades mais úteis são as que provocam uma genuína satisfação íntima, que muitas das atividades utilíssimas são tidas como pouco importantes e que essa postura de descaso se**

estende aos que as exercem. O exemplo mais comum é o da professora primária, que exerce uma atividade essencial para o avanço da vida social e para o desenvolvimento das novas gerações e é tratada com enorme desconsideração — o que costuma refletir em seu salário. É bom lembrar que os professores, assim como os enfermeiros e tantos outros profissionais indispensáveis para o bom andamento da vida em comum, não costumam ter as graves crises existenciais próprias dos que buscaram sucesso e prestígio. Por vezes, entristecem-se com a desconsideração social a que estão sujeitos. Entretanto, no íntimo, o que é o mais importante, sentem-se felizes e muito gratificados.

É imprescindível revermos nossas idéias sobre o que sejam atividades e funções importantes. Precisamos, primeiro, abandonar por completo a utilização do termo "importante", cujo único sentido está relacionado com a vaidade e nosso desejo de neutralizar a insignificância que tanto nos entristece. Não há efetiva importância em nossa condição, nem em nossa vida, tampouco em nossas obras. Se formos muito "importantes", ganharemos meia página em um jornal no dia de nossa morte, nosso nome será dado a alguma rua da cidade e nada mais. Nossa vaidade é um fato. No entanto, não me conformo que nos deixemos escravizar por ela. **Aliás, o homem livre que estou tentando descrever não pode ser escravo de nenhuma emoção, situação ou condição objetiva. Posso pretender chamar a atenção e ser admirado por algumas pessoas, ser significante e re-**

levante para outras e viver de modo útil e construtivo, uma vez que isso determina uma condição de vida íntima mais prazerosa. Contudo, não posso acreditar que ser "importante" — segundo qualquer um dos duvidosos critérios que costumamos usar — possa me trazer algum bem permanente. A razão para isso é muito simples: não temos importância alguma; somos mesmo insignificantes.

Temos de nos acautelar até quanto às atividades úteis, uma vez que determinam uma sensação íntima agradável que, ao menos em parte, está relacionada com o fato de nos sentirmos momentaneamente significantes para uma ou algumas pessoas, porque percebemos que possuímos excedentes que podem ser cedidos a outros. Novamente, estamos diante da questão da vaidade, agora se intrometendo também nos processos úteis. Ela está em toda parte e não há como ser diferente. Por isso, é necessário que estejamos conscientes o tempo todo. Tudo que contiver vaidade poderá nos induzir à repetição, à perpetuação, a algum tipo de dependência. É preciso cautela; caso contrário, estaremos sempre nos perguntando: "Para quê?" Essa pergunta, utilitária por excelência, nos afasta das atividades apenas registradas como agradáveis, diretamente relacionadas com o prazer — sim, porque por vias indiretas estamos sempre buscando o prazer ou algum tipo de recompensa.

Por um caminho diferente, chegamos outra vez à questão da importância de nossa atividade, agora associada à utilidade — seria importante o que é útil. A ati-

vidade prazerosa que não tenha nenhuma serventia passa a ser sentida de modo negativo, como coisa fútil e, de certo modo, medíocre. Ou seja, sentimo-nos rebaixados e sofremos ao nos dedicarmos a atividades que "apenas" nos provocam prazer. O que fazemos? Buscamos essencialmente o prazer oculto em uma atividade útil ou, então, nos afastamos ainda mais dos prazeres imediatos para irmos atrás daquelas atividades que, por meio do destaque e do sucesso social, farão bem à vaidade, porque nos sentiremos importantes e superiores. É incrível como podemos complicar os processos íntimos! Talvez um dia sejamos capazes de desfazer essa trama complexa e um tanto torpe e reconhecer mais serenamente que, assim como todos os outros animais, buscamos o prazer. Podemos persegui-lo de forma direta — como fazem os animais cuja semelhança conosco tanto nos incomoda — ou indireta, postergada, modificada.

PELA VIA DIRETA OU POR ROTAS SUTIS, SÓ BUSCAMOS O PRAZER

Estou convicto de que tudo que fazemos é por estarmos em busca do prazer. Ao mesmo tempo, parece que nos envergonhamos muito de agirmos dessa forma, tida como fútil e, por vezes, egoísta — o que não é verdadeiro, pois o egoísmo corresponde à apropriação indevida de algo que não nos pertence. A busca do prazer como razão principal de nossas ações nos incomoda pela singeleza e semelhança que tem com o que determina as ações dos outros mamíferos, dos quais tentamos desesperadamente nos distinguir. Não podemos admitir que só conseguiremos correr muito se formos recompensados com o equivalente humano de um torrão de açúcar. O que fazemos? Como sempre, tratamos de esconder a verdade de nós mesmos e buscamos vários tipos de camuflagem para podermos nos sentir melhor. Uma delas, a mais simples, é associarmos finalidade — ou seja, utilidade — à ação. **Substituímos um prazer simples pelo prazer de nos sentirmos úteis, significativos para algumas pessoas, o que faz que nos vejamos como superiores. É certo que o prazer de se sentir útil não impede totalmente o prazer que se pretende usufruir.** Por exemplo, quando uma pessoa oferece um vinho precioso a um amigo que a visita, está dando o que tem de melhor, sendo dedicado e sentimentalmente útil. Acontece que também degustará aquele vinho especial. O problema é que são poucos os que abrem uma garrafa de vinho especial apenas para o próprio deleite — prazer inofensivo que é evitado porque as pessoas, de modo geral, não se sentem bem quando estão simplesmente usufruindo algo de que gostem.

O conceito psicanalítico de princípio da realidade corresponde a uma versão sofisticada daquele que o antecede, que é o princípio do prazer — que aqui estou considerando como único e definitivo. Trata-se do uso da inteligência para abrirmos mão de um prazer imediato em favor de outro de intensidade maior colocado no futuro. Não questiono o fato de que a renúncia a esse prazer implica o estabelecimento de uma força racional maior e está relacionada com o bom desenvolvimento emocional das crianças. Além disso, a capacidade de abrir mão de um prazer imediato provoca uma sensação agradável. Assim, a renúncia a um prazer determina o surgimento de outro, que é o prazer da renúncia, sinal de força íntima para se privar de algo em nome de um benefício maior no futuro. A presença dessa força nos faz sentir superiores em virtude de sermos capazes de superar, transcender o comportamento humano, que seria o usufruto imediato do prazer.

O prazer da renúncia é o preferido de um grande número de pessoas e tem sido estimulado por quase todas as religiões. Desse ponto de vista, forte e mais elevado é aquele que renuncia às tentações da vida cotidiana aqui na Terra em favor de uma vida paradisíaca depois da morte. Não podemos deixar de reconhecer que se trata apenas de uma variante do princípio da realidade, mas aí o prazer maior fica postergado para outra vida. Não tenho dúvida dos benefícios derivados da capacidade de usar a razão para suportarmos uma tentação imediata e de conseqüências negativas — comer um doce diante de alguém que tenta emagrecer, fumar um cigarro perante aquele que tenta abandonar o vício etc. — em prol de algo melhor que pretendemos alcançar. Ser capaz disso pode determinar um orgulho íntimo que, mesmo relacionado com a vaidade, implica uma postura muito positiva para se obter uma qualidade de vida melhor. **Esse aprimoramento de nossas ações, derivado do fortalecimento da razão, não se opõe à idéia básica de que todas as nossas**

ações manifestam-se na direção do prazer. Poderíamos mesmo acrescentar que buscamos sempre o prazer máximo, ainda que isso implique, em um primeiro momento, a renúncia a um prazer imediato.

Meu objetivo é claro: gostaria que não nos sentíssemos inferiorizados nem envergonhados por gostarmos de usufruir prazeres imediatos e simples — desde que inofensivos a nossa saúde e não prejudiciais a terceiros. Se pensarmos sobre o prazer em si, sem envolvermos a questão da importância e da busca da superioridade, poderemos dizer que muitos deles foram feitos para serem usufruídos, ao passo que outros deverão acarretar renúncias em curto prazo visando a benefícios maiores no futuro. Em ambos os casos, referimo-nos a prazeres, e é fato que a capacidade de renunciar corresponde a um avanço psicológico que propiciará uma quantidade maior de prazeres a serem alcançados ao longo da vida. Assim, é importante ensinar as crianças a renunciar aos prazeres imediatos, não para que se sintam superiores e transcendendo a condição humana, mas porque muitos deles são nocivos à saúde e porque tais renúncias lhes darão prazeres maiores em algum momento futuro. Não há necessidade de complicar o processo nem de atribuir grandezas especiais a essa aquisição. **Se for melhor usufruir o prazer imediatamente, ótimo! Se não, renunciamos a ele por motivos estratégicos que nos foram mostrados por nossa razão.**

Temos de parar de atribuir importância às renúncias e de agir de forma contábil, pela qual aquilo que conse-

guimos com mais sacrifício e luta é tido como mais digno. As pessoas que "venceram" na vida adoram dizer que isso aconteceu porque foram capazes de grandes esforços e renúncias heróicas. Não é verdade, até mesmo porque muitas levaram — e levam — uma vida bem mais sacrificada e não foram bem-sucedidas. O sucesso chega mais facilmente para determinadas pessoas, que, se não se acautelarem, passarão a se sentir constrangidas com esse fato. Isso se deve, mais do que tudo, a certos talentos inatos que facilitam os passos delas. Muitos dos que trabalharam de forma exaustiva o fizeram desnecessariamente, só para dar dignidade ao que consideraram um privilégio imerecido. Quem somos nós para julgar coisas assim? O sucesso acontece para quem "Deus ajuda" e não para quem "cedo madruga".

Minha proposição básica é que temos de aceitar que nosso psiquismo é governado por processos mais ou menos elementares. O fato de sermos capazes de complicadas reflexões, ponderações e correlações não significa que operamos assim o tempo todo. E mais, raramente usamos nossa enorme competência racional para dar grandeza e significância a processos simples. Esses são os casos em que mais nos afastamos dos caminhos da liberdade e da felicidade, buscando importância onde deveríamos encontrar simplicidade e espontaneidade. Não é indício de bom uso de nossa inteligência tratarmos de complicar coisas simples para que tenhamos a impressão de que viver é algo complexo — sempre associada a nosso desejo de nos sentirmos importantes e significativos. Nunca será demais repetir que só interromperemos tal processo e passaremos a usar a inteligência de forma construtiva se pudermos aceitar nossas verdades essenciais, as que nos levam à consciência de nossa insignificância e desamparo cósmicos. Não podemos neutralizar essas sensações a não ser com soluções simples e engenhosas, todas elas relacionadas com o uso honesto da inteligência. A aceitação das verdades, por mais dolorosas que sejam, abre perspectivas interessantíssimas para o ato de viver, que se torna uma aventura fascinante, alegre e criativa, apesar de simples e desprovida de importância.

O primeiro passo para a atenuação das dores maiores consiste em aceitarmos que elas fazem parte do alicerce da vida. Ao pensarmos dessa maneira, tendemos a estabelecer com as pessoas outro tipo de relacionamento. A competição pode deixar de ser prioritária e ceder lugar para a solidariedade, o amor e as amizades, o respeito por nossas diferenças. Cada indivíduo deverá buscar dentro de si mesmo a inspiração para a escolha dos caminhos a serem por ele seguidos — e é por aí que a competição se torna muito menos relevante. Quando perdermos o medo de olhar para em nós mesmos — por já estarmos conscientes das verdades aí contidas — e conhecermos, da melhor forma possível, todos os nossos ingredientes constitutivos, não precisaremos usar os mecanismos de projeção de partes nossas sobre outras pessoas ou sobre a sociedade como um todo. Quando nos conhecermos melhor, compreenderemos que os maiores obstáculos estão em nós e nos dedicaremos a ultrapassá-los. Não subtrairemos a importância das repressões nem a influência, até no modo de pensar e na construção de nossos pontos de vista, a que estamos sujeitos de fora para dentro — tanto de pessoas como do meio social —, mas saberemos que, se nos fortalecermos interiormente, poderemos ganhar as forças necessárias para vencê-las.

Quando conhecermos melhor as fraquezas e limitações internas, assim como nossas potencialidades e forças, formaremos um juízo a respeito de nós mesmos e construiremos nossos objetivos. Projetos de vida assim construídos, sem a interferência de comparações e competições com outras pessoas, serão mais consistentes e terão maior chance de ser bem-sucedidos — o que não é obrigatoriamente sinônimo de atingir uma posição de sucesso e destaque em comparação com os outros. Assim fortalecidos, poderemos nos opor ao meio exterior com mais firmeza nos casos em que ele for repressor. Nessas condições, os obstáculos tornam-se mais facilmente transponíveis e as chances de realizarmos nossos projetos aumentam muito. **Ao nos comportarmos de forma coerente com aquilo que pensamos, passamos a conhecer a alegre sensação de liberdade, talvez a maneira mais sólida e saudável de expressão da vaidade humana.**

O MEDO DA FELICIDADE É O MAIOR OBSTÁCULO AO REAL EXERCÍCIO DA LIBERDADE

A liberdade corresponde a um estado de espírito que permite um estilo de vida tão gratificante que deveria ser o anseio principal de todos nós. É curioso que não o seja, que as pessoas estejam mais interessadas em ser como os seus pares, em viver da mesma forma que os que tiveram sucesso — segundo os critérios de cada grupo. Sei que viver de acordo com os próprios pontos de vista e ter posturas nem sempre iguais às daqueles que nos cercam pode nos provocar uma sensação de desamparo e solidão que nem sempre conseguimos suportar. Essa é uma das razões pelas quais o exercício da liberdade implica crescimento e desenvolvimento interior para que toleramos bem as peculiaridades dolorosas de nossa condição. Afora essa eventual sensação de estar só, ser livre envolve grande prazer pessoal, significa sentir-se forte e competente para administrar a vida do próprio jeito. **Por que então é tão raro?**

Pergunta semelhante ocupou minha mente, durante muitos anos, sobre a questão amorosa — um dos focos principais de minha atenção. **Por que tanta dificuldade para que as pessoas percebam o óbvio, qual seja, que as afinidades e não as diferenças determinam relações sólidas, estáveis e gratificantes? Por que a excessiva valorização dos obstáculos externos, que só aparentemente impedem a consumação da união entre os que se amam? A resposta a essas questões acabou por me levar à descoberta da existência de um fator antiamor fundamental na vida íntima, o qual determina um desvio de rota suficientemente importante para que nos afastemos do caminho que nos leva à verdadeira realização amorosa.**

Não posso deixar de pensar na hipótese de que esse fator antiamor seja um caso particular de um fenômeno mais geral que nos leva para longe de tudo aquilo que desejamos muito. Assim, é melhor falar de um fator antifelicidade, o qual, assim como o antiamor, é constituído de vários elementos, entre os quais o primeiro e mais imediato é o seguinte: a felicidade nos remete à introspecção e, portanto, a um confronto com as peculiaridades íntimas, o que nem sempre é fácil. Infortúnios e problemas objetivos de toda ordem funcionam como uma distração para nosso psiquismo; ocupamo-nos deles e não temos tempo ou disposição para a introspecção. A tão desejada ausência de problemas concretos nos deixa em uma condição psíquica complexa que não raramente desemboca em um estado depressivo.

A depressão derivada da falta de problemas objetivos tem relação com o fato de isso nos remeter a nossa subjetividade, com outro elemento importante para o fator antifelicidade, ou seja, o de não existir grandeza e importância atribuíveis à condição de serenidade. A felicidade e o bem-estar concreto não nos deixam orgulhosos por termos sido competentes para atingir tal estado. Se formos capazes de vivenciar a introspecção que se segue sem grande sofrimento, ainda assim teremos de nos defrontar com a questão da vaidade. Sim, porque aprendemos a sentir que "só o sofrimento enobrece".

Não creio que esses sejam os componentes mais importantes do fator antifelicidade. O maior obstáculo à realização dos grandes anseios das pessoas está ligado ao medo da felicidade. Por processos que já descrevi, existe em nós um reflexo condicionado que determina o surgimento de uma forte sensação de medo, que cresce à medida que nos aproximamos dos objetivos. Assim, o pânico poderá ser nosso estado quando estivermos mesmo na reta final. A sensação é de que estamos sujeitos a uma tragédia iminente, ameaçados de morte. **O medo da felicidade, mais forte do que a razão, pode determinar alterações graves em nosso modo de pensar e agir, afastando-nos dos objetivos que pretendemos alcançar; passamos a nos sentir frustrados e tristes, porém apaziguados, porque a serenidade substitui o estado de medo constante no qual vivíamos. Temos a sensação de que "foi melhor assim".**

Nem todas as pessoas percebem que elas mesmas determinaram a alteração de rota que provocou o resultado negativo. Muitas vezes, repetimos a postura tradicional, que consiste em projetar em terceiros a responsabilidade do que nos aconteceu. Podemos atribuir o resultado negativo à má sorte, ao "olho gordo" de um rival invejoso ou a algum comportamento negativo detectado em determinadas pessoas envolvidas no processo.

A verdade é que o medo da felicidade, presente em nossa vida íntima, é o causador da tendência destrutiva que em nós se instalou e costuma predominar. **Estou convicto de que nossos processos destrutivos não são de natureza instintiva. Não creio na existência de um "instinto de morte". A destrutividade existe em todos**

nós como subproduto de uma espécie de ferida que se cristalizou no cérebro a partir do dramático evento do nascimento — mesmo não sendo instintivo, é universal, porque todos vivemos o nascimento como uma ruptura dramática. Não podemos deixar de nos sentir ameaçados quando estamos muito felizes e tendemos a abandonar a rota da felicidade para nos livrarmos da dolorosa sensação de ameaça e pavor que ela nos impõe — que provavelmente corresponde à repetição do que sentimos quando nascemos. Não podemos subestimar a força do fator antifelicidade. Quem não acredita nesses processos nem em sua força não se acautela, condição que o deixa mais suscetível a eles.

Temos de aceitar que nos sentimos desamparados e insignificantes quando pensamos em nossa condição cósmica e que possuímos, desde o nascimento, um poderoso mecanismo reflexo que tende a nos impulsionar para o abismo. Esse mecanismo torna-se tanto mais intenso quanto mais próximos estivermos de atingir um objetivo. Precisamos aceitar a existência do medo da felicidade, ainda que não gostemos de ter tamanho limitador interno. A negação de qualquer uma de nossas peculiaridades implica sua transferência para o inconsciente, onde age de modo mais eficaz e ainda mais destrutivo. A aceitação da existência do medo da felicidade nos faz cautelosos e cientes de que o melhor é tratarmos de avançar gradualmente. Ao menos no que dependa de nós, é muito perigoso qualquer avanço rápido, pois determina um medo de maior intensidade e mais difícil de ser controlado. **Não creio que se possa, no estágio atual do conhecimento que temos de nossa psicologia, pensar em nos livrarmos completamente do medo da felicidade. Não podemos pleitear mais do que avanços em sua administração: tentarmos progredir de modo gradual, não nos empolgarmos demais diante dos bons resultados e nos tornarmos particularmente cautelosos nessa hora, quando a destrutividade tende a ser máxima.** É necessário nos acostumarmos com aquilo que consideramos uma evolução da mesma forma que temos de nos habituar com a água bem quente de um banho de imersão: devemos entrar na banheira aos poucos, adaptando cada parte do organismo àquela temperatura.

É, pois, mais prudente subirmos os degraus do progresso que pretendemos fazer de modo paulatino e gradual. Se sairmos em disparada escada acima, o perigo de queda é máximo. Não podemos ser ingênuos e minimizar o crescimento em nossa subjetividade da tendência destrutiva que acompanha a conquista dos maiores anseios. Se quisermos fazer parte de uma geração que tenha deixado de apenas sonhar com a liberdade e buscado uma aproximação efetiva desse estado na vida real, teremos de confrontar os verdadeiros obstáculos. **A passagem do sonho para a realidade exige cautela, atenção e muita sinceridade em admitir que os maiores obstáculos estão dentro de nós mesmos.** Ao projetarmos as dificuldades para o exterior, reforçamos de forma indevida o poder repressor do meio social. Não devemos desprezar o papel homogeneizador representado pela sociedade e, principalmente, pelos meios de comunicação, nem usar tais fatos para encobrir a fraqueza pessoal.

Ao termos o devido respeito por todas as dificuldades, compreenderemos que não é tão difícil encaminharmos a vida para a liberdade, assim como não são tão grandes os obstáculos para a plena realização amorosa. Não convém, por outro lado, assumirmos a postura inversa: desprezar os problemas e buscar os atalhos fáceis e rápidos. A pessoa não atinge o sonhado estado de liberdade apenas porque passou a se vestir de modo extravagante, pintou os cabelos de vermelho e colocou brincos no nariz e no umbigo. Essas manifestações superficiais poderão se associar a um discurso igualmente superficial, que prega a libertação sexual, o não-consumismo e assim por diante. Os tempos atuais são pródigos em resumos, em proposições concretas e fáceis de decorar. Não é esse o caminho que nos conduz à liberdade. Aliás, isso corresponde à venda de ilusões, e o único desdobramento que se pode esperar nas pessoas que aderirem a posturas desse tipo é a desilusão e a reversão para um comportamento conservador.

O ser livre poderá — ou não — ser extravagante em sua maneira de se vestir. Isso dependerá de sua posição social e do conjunto de sua personalidade. Os prazeres derivados da vaidade existem e continuarão a existir em todos nós, e suas manifestações físicas são preferíveis às de caráter intelectual — aqui há o grave risco de deturpação da lógica do raciocínio. **Não podemos confundir** extravagância física com estado de alma próprio do ser livre; aparência com essência. O ser livre, independentemente da aparência, é aquele que se familiarizou com todas as peculiaridades de sua condição e as aceitou de modo doce e sereno. Trata-se de tarefa difícil, penosa, que demanda grande tempo. Ao atingir o estado de serenidade, ele poderá olhar para a vida com uma nova alegria, com esperanças renovadas e sem rancor algum!

O MAL, O BEM E MAIS ALÉM

egoístas, generosos e justos

REF. 50039
ISBN 85-7255-039-9

"Os livros de Flávio Gikovate têm me ajudado a elaborar muitos de meus personagens em novelas. Sua maneira clara e simples de expor complexas e profundas teorias psicológicas traz para o leitor o privilégio de conhecer idéias inéditas sobre o comportamento humano e, principalmente, de se conhecer melhor. *O mal, o bem e mais além* é um exemplo perfeito de tudo isso. Nestes tempos sem ideologia, em que a linha que separa o bem do mal fica cada vez mais tênue, é importante revermos conceitos e partirmos para uma nova era, livres do ranço que acumulamos na cabeça e conhecendo melhor o ser humano que passamos a ser neste mundo globalizado."

SÍLVIO DE ABREU
Autor

"O livro que vocês vão ler é a síntese de tudo que fui capaz de compreender a respeito da questão moral observada pela ótica que minha profissão me permitiu. Se ele servir de estímulo e impulso para que voltemos, todos nós, a nos preocupar com a constituição de um conjunto de valores capazes de nos nortear no planeta que temos modificado de forma tão radical, terá cumprido plenamente minhas expectativas."

FLÁVIO GIKOVATE

DEIXAR DE SER GORDO

REF. 50043

ISBN 85-7255-043-7

Ser gordo, hoje, é ser estigmatizado. Como se não bastasse a cobrança interna, a pessoa que sofre de obesidade é obrigada a conviver com imagens de perfeição estética que a afligem ainda mais. Utilizando toda sua força de vontade para tentar sair do grupo dos excluídos, começa aquele "regime de segunda-feira", em que ingere só salada e uma ou outra fruta ao longo do dia. À noite, está completamente faminta. Sem conseguir resistir, empanturra-se de comida e "sabe" que cometeu um pecado mortal ao quebrar a dieta. Sentindo-se culpada e fraca, a pessoa se tortura mentalmente e promete retomar o regime no dia seguinte. O resultado dessa rotina perversa é quase sempre o aumento do peso – e da frustração.
É basicamente assim que Flávio Gikovate explica a obesidade. Utilizando uma linguagem clara e direta, o autor mostra de que forma funcionam os mecanismos psicológicos do gordo – e fala com causa própria, uma vez que ele mesmo enfrentou o problema – e como revertê-los, alcançando a saúde e a plenitude mental.

ENSAIOS SOBRE O AMOR E A SOLIDÃO

REF. 50045

ISBN 85-7255-045-3

Flávio Gikovate foi pioneiro, no Brasil, na publicação de trabalhos sobre amor e sexualidade humana em linguagem acessível. Nesta obra, uma edição revista e atualizada, ele retoma esses temas que lhe são tão caros. Gikovate trata das armadilhas daquilo que convencionamos chamar de amor. Ele mostra a origem da palavra e o seu histórico, sua razão de ser, e como confundimos nossas emoções com mazelas como dependência, competitividade e narcisismo.
O autor enfrenta o tabu do amor romântico, idealizado e que traz consigo tantos problemas e frustrações, e ousa classificá-lo como vício. Gikovate propõe novas formas de relacionamento que implicam respeito por si próprio e pelo outro. E o faz com a ousadia, o bom senso e a clareza de sempre, tratando de temas que dizem respeito a todos nós.

Grupo Summus
www.gruposummus.com.br
www.gruposummus.com.br
Acesse, conheça o nosso catálogo e cadastre-se para receber informações sobre os lançamentos.

www.gruposummus.com.br

IMPRESSO NA
sumago gráfica editorial ltda
rua itauna, 789 vila maria
02111-031 são paulo sp
tel e fax 11 2955 5636
sumago@sumago.com.br
GRÁFICA
sumago